TEMPERAMENTO
FORTE
E BIPOLARIDADE

DIOGO LARA

TEMPERAMENTO FORTE E BIPOLARIDADE

Dominando os
altos e baixos do humor

10ª edição

Benvirá

Arte, produção e capa Casa de ideias
Impressão e acabamento Gráfica Paym

CIP-BRASIL. Catalogação na fonte
Sindicato Nacional dos Editores de Livros, RJ.

L325t
Lara, Diogo,
Temperamento forte e bipolaridade: dominando os altos e baixos do humor / Diogo Lara. -10. ed. - São Paulo: Benvirá, 2009.
Inclui bibliografia
ISBN 978-85-02-08651-7
1. Transtorno bipolar. 2. Humor (Psicologia). I. Título.

09-4381 CDD: 616.895
CDU: 616.892

10ª edição, 2009 | 21ª tiragem, fevereiro de 2024

Av. Paulista, 901 – 4º andar
Bela Vista – São Paulo – SP – CEP: 01311-100

SAC: sac.sets@saraivaeducacao.com.br

CÓDIGO DA OBRA 2623 CL 650036 CAE 567821 OP 231245

Vários mestres e amigos foram fundamentais no meu trajeto pessoal e profissional e por isso estão muito presentes neste livro. Começando pelos de longe, Hagop Akiskal, Aaron Beck e Robert Cloninger. No Brasil, os psiquiatras Olavo Pinto, Pedro Lima, Cláudio Osório e Norma Escosteguy e os terapeutas Rubem Alves, Jorge Aguer, Ayr Gonçalves. Entre os superamigos, Renato Dutra Dias, Roska e Diogo Souza — junto com meus pais, Elizabeth e Ibanez, e meus irmãos, Betina e Norton, eles têm sido meus grandes professores em saúde mental. Um obrigadão *também aos meus alunos e aos colegas de pós-graduação, em especial aos amigos Miriam Brunstein, Eduardo Ghisolfi, Luísa Bisol, Elaine Martin e Lélia Almeida. E mil gracias aos meus queridos pacientes!*

Apresentação

Quando optei por fazer faculdade de medicina, talvez meu principal critério de escolha tenha sido a perspectiva de trabalhar diretamente com pessoas. Pela mesma razão, ainda que com outras influências durante o curso, eu me envolvi na psiquiatria para poder lidar com o que há de mais humano em nós. Depois de alguns anos de prática descobri, principalmente pelas mãos de Hagop Akiskal (EUA) e Olavo Pinto (RJ), dois eminentes psiquiatras, que havia um grupo de pessoas especiais em vários sentidos, não só pelos problemas e sofrimentos que as levam ao tratamento psiquiátrico, mas também e particularmente por suas qualidades, raras vezes investigadas e levadas em conta pelas abordagens atuais. Essas pessoas fazem parte do "espectro bipolar" e apresentam alterações de humor, frequentemente associadas a um temperamento forte.

A bipolaridade não é um fenômeno recente na humanidade, mas ainda é pouco comentada, apesar de não ser discreta. Trata-se de um transtorno mental em que o humor assume autonomia, deixando de responder adequadamente ao que seria esperado, com variações diversas como euforia, agitação, aumento de energia, agressividade, explosividade, impulsividade, aumento de riscos e gastos financeiros, distração, entre outros sintomas do polo positivo, ou "para cima", que se alternam com apatia, desânimo, tristeza, ansiedade e falta de prazer do polo negativo ou depressivo. A imprevisibilidade e a magnitude dessas alterações do humor e do comportamento permitem entender por que se criou um forte estigma em torno da bipolaridade. Se antes ela era reconhecida somente nas suas versões mais evidentes e pronunciadas, cada vez mais tem-se observado que uma parcela significativa da população sofre de oscilações de humor maiores do que o normal, com diferentes graus de prejuízos. Em vez de serem reconhecidas e tratadas por apresentar formas atenuadas de bipolaridade, essas pessoas recebem erradamente diagnósticos de depressão, ansiedade ou déficit de atenção e hiperatividade.

Este livro é também reflexo da minha mudança de atitude como psiquiatra e cientista. Antes percebia principalmente sintomas, classificava-os de acordo com o manual de transtornos psiquiátricos vigente e prescrevia tratamentos baseados em trabalhos científicos — com o auxílio de terapias breves — e calcados em um grande investimento na relação médico-paciente. O problema é que essa postura, preconizada e aceita atualmente, é muito sujeita a equívocos, além de ser frustrante para o psiquiatra — ao menos para mim. Na verdade, a relação era médico-sintomas e isso me fazia não apenas perder grande parte da (bela) dimensão da singularidade humana inerente ao processo, como também levava à não identificação do diagnóstico real, apesar de estar correto segundo o manual "científico" de psiquiatria (o DSM-IV). Com o diagnóstico incorreto, anos de pesquisa e estudo em psicofármacos não serviam para muita coisa — para não dizer que até pioravam as coisas.

Assim, este livro aborda aspectos além dos sintomas a serem considerados para o entendimento da mente, do comportamento e de seus transtornos, como a contribuição do temperamento e da história familiar. Enfoco particularmente as formas leves e disfarçadas do transtorno bipolar, comentando suas peculiaridades e os tratamentos disponíveis, tanto em relação a medicamentos quanto à psicoterapia. Aproveito também para alertar sobre o uso exagerado e inconsequente de antidepressivos, atualmente indicados e prescritos para tratar diversas situações, nem sempre com a devida avaliação e que raramente produzem os efeitos esperados.

Parte do conteúdo deste livro — baseada em minhas observações e condutas pessoais ao lidar com pessoas com transtornos de humor — foi escrita sem a pretensão de ser consensualmente aceita. Outra parte é baseada em informações consagradas da psiquiatria, psicologia e psicofarmacologia.

Neste livro, busco integrar as ciências médicas e a psicologia em uma comunicação simples e direta com quem mais importa!

Sumário

1

TEMPERAMENTO e humor

Cada vez mais falamos abertamente sobre nossos comportamentos, humores, personalidades e emoções no dia a dia. Também temos nos arriscado em interpretações sobre os outros e na repetição de frases feitas de livros de autoajuda, usando termos que até pouco tempo atrás eram restritos aos profissionais da saúde mental. Assim, vale a pena definir alguns dos componentes mais importantes da nossa mente, como o temperamento, o caráter, a personalidade e os tipos de humor com base nas teorias e nos modelos mais recentes.

O temperamento, que também conhecemos como "gênio", está ligado a sensações e motivações básicas e automáticas da pessoa no âmbito emocional. É herdado geneticamente e regulado biologicamente e pode ser observado nos primeiros anos de vida. O temperamento — está implícito no nome — é o tempero, o molho, o sabor básico da pessoa, assim como existem o doce, o salgado, o amargo e o picante. Em algumas receitas, misturam-se sabores, o que muda o resultado final, mas em geral um ou dois deles predominam, como ocorre com o temperamento das pessoas.

Enquanto o temperamento tem a ver com esse plano emocional básico do indivíduo, suas sensações e motivações, o caráter decorre mais das experiências e modelos que formam nossas memórias e padrões psicológicos (caráter nesse contexto não significa somente boa índole ou valores morais sólidos). O temperamento define *o que mais naturalmente se salienta no mundo* para cada um e influencia os tipos de experiências em que nos envolvemos e como reagimos *instintivamente* a elas. A interpretação dessas experiências gera um significado que, por sua vez, lapida a expressão do temperamento, que é o caráter. Assim, é claro que o temperamento e o caráter se influenciam e interagem e nem sempre é fácil diferenciar o que provém do caráter e o que provém de um e de outro. A combinação desse temperamento com o caráter, que se forma pela experiência, é o que definimos como personalidade (veja a Figura 1.1).

Figura 1.1 Relações entre personalidade, temperamento e caráter

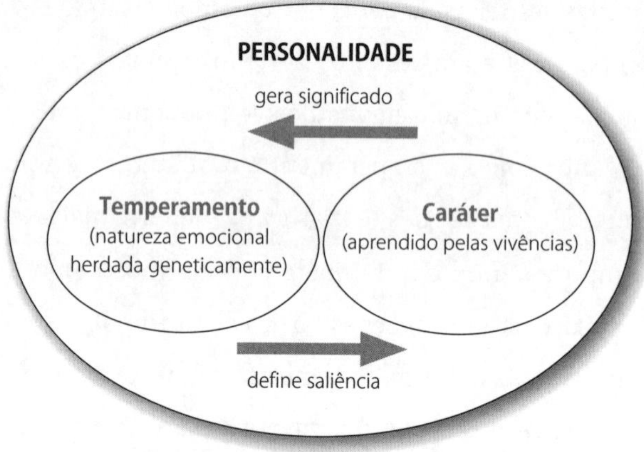

É importante frisar que nosso tipo de temperamento é o alicerce do nosso humor e, por consequência, os possíveis transtornos de humor que sofremos também são compatíveis com nosso temperamento. Assim, pessoas com temperamento mais apimentado e dinâmico

podem ter alterações de humor com franca agressividade ou euforia, o que seria mais raro em pessoas com temperamento brando e sereno.

Há maneiras diferentes de classificar os tipos de temperamentos, e já foram feitas diversas propostas para entendê-los, mas parece haver uma tendência histórica e transcultural de considerar quatro elementos fundamentais que se combinam. Hipócrates classificava os temperamentos em colérico, sanguíneo, fleumático e melancólico, baseado em líquidos ou "humores" biológicos. Na astrologia são usados os elementos da natureza: fogo, ar, terra e água. O psicólogo Kagan adota otimismo, ousadia, timidez e melancolia.

Em todos esses modelos com quatro elementos, os dois primeiros são mais expansivos, ativos, extrovertidos e dramáticos, enquanto os outros dois são mais introspectivos, inibidos, passivos e obsessivos, o que lembra também outras concepções binárias como o yin e yang do taoísmo oriental. Por fim, atualmente esses quatro elementos básicos do temperamento podem ser assim descritos, segundo a classificação proposta por Cloninger, que me parece muito válida e útil:

- Busca por novidades e sensações: comportamento ativo e exploratório, natureza impulsiva, extravagante, impaciente, irritável, grande curiosidade e busca por situações de gratificação imediata, evitando situações de punição provável. O que se salienta no mundo é o novo, o desconhecido. Portanto, suas maiores qualidades são a exploração e a descoberta. A emoção mais aparente é a raiva, e o grande valor é a liberdade. Um temperamento com pouca busca de novidades tende ao retraimento, à discrição, à rotina, à resignação e à reflexão.
- Evitação de dano e perigo: natureza pessimista, evitativa, amena, passiva e tímida devido à inibição de comportamentos diante da

possibilidade de frustração ou ameaça. O mundo é visto antes de mais nada pelos riscos, gerando vantagens como o cuidado, a cautela e o zelo, importantes principalmente em situações de risco real. A emoção mais aparente é o medo, e os grandes valores são a subsistência e a preservação. A falta desse tipo de temperamento se traduz em otimismo, ousadia, energia e extroversão.

- Necessidade de contato e aprovação social: natureza sentimental, afetuosa, calorosa e disponível, voltada ao apego e à empatia. Grande sensibilidade social, mas também necessidade de aprovação e confirmação alheia, sendo, por isso, facilmente influenciável. O que se salienta no mundo é o aspecto emocional das relações, que propicia a formação de laços afetivos harmoniosos e indica a propensão para os trabalhos em grupo. As emoções mais aparentes são o apego e a gratificação afetiva, gerando também a comunicação e o entrosamento. A baixa expressão desse temperamento gera frieza, reserva, distância afetiva e independência.
- Persistência: natureza determinada, ambiciosa e perfeccionista, capaz de persistir na realização de tarefas de longa duração, de baixo retorno imediato ou de reforços inconstantes, encarando problemas e obstáculos como desafios. Os pontos fortes desse temperamento são o progresso e as realizações de longo prazo a partir da visão de um mundo que pode ser controlado ou modificado. A atenção se volta para a gratificação mais tardia, principalmente no terreno profissional ou do conhecimento, gerando realização pessoal, sabedoria, construção e transformação do meio. A baixa persistência denota um temperamento apático, preguiçoso, mimado e pragmático.

Uma pessoa pode expressar cada uma dessas características em maior ou menor grau de modo relativamente independente. Às vezes, porém, elas podem ser um tanto conflitantes, como no caso da predominância conjunta de busca de novidades e evitações de dano e perigo. No entanto, é diferente alguém querer saltar de asa-delta (busca de novidades e sensações) sem estar muito preocupado com eventuais consequências (pouca evitação de dano e perigo) ou tomar todas as precauções e cuidados antes de pular, escolhendo o melhor dia e certificando-se da qualidade do material e da experiência dos instrutores (evitação de dano e perigo).

Se cada um dos temperamentos correspondesse a um instrumento musical, uma pessoa poderia representar a música de um, dois, três ou quatro instrumentos. No caso de um quarteto, os músicos podem tocar harmonicamente ou pode haver um ou dois músicos que fazem seus instrumentos se destacarem. Nessa comparação, o baterista seria o persistente, o solista (cantor, guitarrista, saxofonista), o buscador de novidades, o contrabaixista, o evitador de risco e o pianista, o harmonizador social.

É importante entender que cada um desses temperamentos pode ser adaptativo ou desadaptativo, dependendo da situação e do ambiente. A busca por novidades e sensações é muito adaptativa e favorável para circunstâncias que demandam ação criativa, pioneirismo e exploração. Por outro lado, pode ser desadaptativa em situações estáveis, conhecidas e pouco dinâmicas, gerando tédio, raiva ou inconstância. Crianças com esse traço predominante, por exemplo, têm dificuldades de adaptação em escolas tradicionais, apesar de serem reconhecidas pelos professores como espertas, rápidas, criativas e inteligentes. O temperamento de evitação de dano e perigo, por sua vez, traz a vantagem da cautela e do planejamento em circunstâncias de risco real, mas gera ansiedade desnecessária e inibição em situações de baixo risco.

Essas características de temperamento podem ser em algum nível modificadas, mas influenciam os tipos de atitudes mais naturais para a pessoa e tendem a perdurar por toda a vida. O período da infância é particularmente flexível para mudanças, por isso tem sido proposto estimular, por exemplo, as habilidades sociais e de exploração em crianças mais retraídas e receosas.

Um grupo de pesquisa espanhol vem demonstrando em ratos como isso é possível: há várias gerações, dois grupos de ratos que manifestam os extremos dos temperamentos retraído e explorador foram selecionados. Em cada nova geração, os mais exploradores entre o grupo de exploradores se reproduzem, e o mesmo ocorre com os mais retraídos entre os retraídos. Os pesquisadores mostraram que, se criados em ambientes ricos em estímulos (um playground para ratos), os mais retraídos passam a manifestar características de comportamento exploratório como dos exploradores não estimulados. É claro que, quando criados em ambientes ricos em estímulos, os exploradores se tornam ainda mais exploradores.

Apesar de ser atraente a ideia de ser explorador e buscador de novidades, esse temperamento carrega uma necessidade de experimentar sensações que, se não for saciada, traduz-se em ansiedade ou tédio. Atender a essa necessidade pode direcionar a pessoa para aventuras ou atividades dinâmicas, mas também para excessos com drogas, sexo e até mesmo com comida. Os ratos buscadores de novidades, por exemplo, quando têm a oportunidade de escolher beber água ou outro líquido doce, ou ainda um líquido com álcool, consomem bem mais dessas substâncias do que os ratos pouco exploradores. Os descendentes de ratos retraídos também aumentam seu consumo de bebidas doces ou com álcool na vida adulta caso tenham sido criados em ambientes ricos em estímulos, o que também parece ocorrer com as pessoas.

Temperamentos também podem ser entendidos como padrões predominantes de humor ou como "estilos afetivos", o que é um pouco diferente dos conceitos anteriores, de acordo com a classificação de Akiskal:

- Hipertímicos: manifestam o dinamismo e a busca por estímulos e sensações prazerosas, tendem a ser exploradores, impulsivos, otimistas, inquisidores, entusiasmados, extravagantes, curiosos, desorganizados, têm reações afetivas rápidas e intensas e podem ficar entediados facilmente. Têm como vantagens o potencial para a criação, a inovação, a liderança, o carisma, as descobertas e o progresso. Adaptam-se pouco a sistemas regrados, rotineiros e previsíveis, podendo ficar inquietos, irritados ou, às vezes, desanimados.
- Depressivos: são preocupados, pessimistas, passivos, cautelosos, quietos, tímidos e indecisos. A vantagem está principalmente na capacidade de manter a cautela e traçar um planejamento cuidadoso para momentos em que há de fato alguma ameaça ou perigo. Em excesso, gera ansiedade e inibição desproporcionais ao risco real. Em geral, são pessoas reservadas, reflexivas, resignadas, que toleram bem situações monótonas, preservam e gostam de ordem.
- Ciclotímicos: a característica principal é a *alternância* entre períodos de autoconfiança alta e baixa, estados apáticos e energéticos, pensamentos confusos e rápidos/aguçados, humor tristonho e brincalhão/irônico, momentos introvertidos/calados e expansivos/falantes, sonolência e pouca necessidade de sono.
- Irritáveis: apesar de menos definido e comum, esse grupo inclui pessoas que manifestam a irritabilidade como uma característica marcante e constante. Podem ser ameaçadores, desconfiados, combativos e destrutivos.

O foco para entender o grupo de pessoas do chamado "espectro bipolar" são os temperamentos "fortes", compatíveis com os padrões hipertímico, ciclotímico, ou com o temperamento de intensa busca de novidades.

Humor

Qual é a real dimensão do humor em nossa vida? Sem ele, seríamos como robôs, não experimentaríamos a riqueza dos sentimentos, das emoções, dos vínculos afetivos, dos sonhos, das decepções. O humor é como a variedade de cores de um quadro; é o gol, o drible e a vontade de ganhar em um jogo de futebol. Para sentir a falta que faz a dimensão do humor, imagine um quadro sem cores e nuances, ou um jogo de futebol em que os jogadores correm sem um objetivo. Certamente deixam de ser um quadro e um jogo pela carência de graça e sentido. O humor triste e depressivo seria um quadro com cores escuras e densas, ou um time retrancado e perdendo de goleada. Já o humor eufórico é um quadro com as cores mais vivas possíveis: vermelho, laranja, amarelo, verde-limão, azul-calipso, todas rutilantes. É se sentir como um time de pelés, garrinchas e ronaldinhos em grande inspiração!

É o humor, talvez mais do que a razão, que nos diz quanto devemos arriscar em alguma situação. Imagine um jogo de roleta entre um jogador de humor normal, um triste e deprimido (que, na verdade, nem queria estar lá) e outro eufórico, ligado e faceiro. Por definição, as chances de vencer são iguais para todos. Os três recebem 20 fichas da banca para começar a jogar. O jogador de humor normal não quer desperdiçar suas fichas, mas também não deixa de apostar no seu número da sorte ou no seu palpite. Pode apostar uma ou outra ficha de modo menos arriscado, como nos números pares ou nos vermelhos, mesmo que o retorno seja pequeno já que a chance de acertar é grande. E assim vai jogando, ganhando algumas, perdendo outras, arriscando um pouco mais depois de uma rodada de sorte. O jogador deprimido vê na roleta mais uma ameaça de devorar suas fichas do que uma oportunidade de ganhar. Assim, abdica de seus palpites em números secos e começa apostando uma mísera ficha nos números pretos ou pares, porque sua prioridade é manter a todo custo o que possui diante da grande ameaça da roleta. Certamente não perderá muito, mas à custa das grandes conquistas que a sorte poderia proporcionar.

E o eufórico? Antes de jogar já está dizendo em altos brados "É hoje!!!", beijando suas fichas queridas. O que vê na roleta é um mar de oportunidades de ficar rico. Vinte fichas? Se estiver eufórico mesmo vão dez no número do dia do aniversário e mais dez no 13 do azar, só para contrariar. Perdeu? "Não! Só não ganhei ainda. Mais 30 fichas, por favor!" E assim vai, intenso e extremado nas escolhas, que podem levar a derrotas fragorosas e dívidas imensas. Mas quando ganha, sai de baixo! "Eu sabia! Rárárárááá!!" Se alguém tem chance de sair milionário do jogo é ele, mas o mais comum é sair devendo.

Uma maneira de provocar essa desinibição de comportamento, o aumento da ousadia e o bem-estar do humor é tomar uma pequena dose de uma bebida alcoólica que, antes de tontear e derrubar, leva a uma fase de humor mais elevado com suas gratificações... e riscos. Quando alguém bebe para "ganhar coragem", o que está se fazendo é elevar o humor por um mecanismo de desinibição. Uma canção de Zeca Baleiro exemplifica o estado de euforia e os comportamentos não habituais consequentes ao humor eufórico exaltado: "Hoje eu acordei com uma vontade danada de mandar flores pro delegado, de bater na porta do vizinho e desejar bom-dia, de beijar o português da padaria".

Os estados de humor deprimido (tristeza, desânimo, lentificação, falta de sensação de prazer) são muito conhecidos e discutidos, além de intuitivamente fáceis de entender, porque todos já os vivenciamos, por períodos mais ou menos curtos e por motivos diferentes. Esses estados depressivos podem ir do simples e comum "baixo astral", que a maioria das pessoas sente em alguns momentos sem maiores consequências, até estados de profunda melancolia.

Além do estado normal de humor, chamado de eutimia, períodos de euforia e alegria são naturais e comuns de acordo com os momentos da vida. *O que define se o humor está sadio é quanto ele está adequado à situação real.* Tristezas, alegrias, ansiedades ou irritações sem motivo aparente podem configurar um transtorno de humor. Existem situações em que a euforia pode chegar a extremos tão inadequados e prejudiciais quanto a melancolia grave. Entre o humor eutímico (normal) e o extremo da euforia, há graduações, como a *hipertimia*, que não chega a atrapalhar, e a *hipomania* (pequena mania), que pode atrapalhar razoavelmente, até a *mania*, que certamente carrega consequências e prejuízos maiores em diversos níveis.

Entenda-se "mania" como o termo que define o estado de humor eufórico, ligado, acelerado, "para cima" ou irritável, e não a expressão de uso corriqueiro, como em mania de limpeza ou de checar portas. A Tabela a seguir mostra uma tentativa de graduar esses níveis de humor elevado e suas repercussões em alguns tipos de comportamentos. Quanto cada área pode se alterar depende de cada caso e cada momento, *não sendo necessário que as situações ocorram todas simultaneamente do modo ou na intensidade descritos.* Da mesma forma, dependendo dos modelos e valores morais, o caráter pode inibir a expressão em algumas áreas, como o visual e as relações afetivas. Veja o Quadro 1.1.

Os outros percebem essas alterações melhor do que a própria pessoa, que considera o estado eufórico normal e positivo, até aprender, com o tempo e a experiência, a identificar esses excessos de humor. Como o humor serve para ajustarmos nosso comportamento de acordo com a situação, sua exaltação espontânea é desadaptativa e disfuncional.

Como a base do humor é o temperamento, sua estabilidade é fortemente influenciada pela natureza mais ou menos estável dos diversos temperamentos, mas também pela maturidade que adquirimos na formação do nosso caráter. No entanto, quando o temperamento é muito forte ou o humor está elevado, *o impulso corrompe o caráter*. Se o caráter é bom, depois dos atos impulsivos costuma vir a culpa.

Os dois temperamentos instáveis são a busca de novidades (pelo excesso) e a evitação de risco (pela inibição e pela falta). A persistência é um temperamento que favorece a estabilidade com base em atitudes práticas e de determinado esfriamento da emoção, enquanto a dependência social gera estabilidade valendo-se do apego e do investimento em relações sociais e afetivas. Assim, na combinação, um peso maior dos temperamentos instáveis associado a uma carência dos estáveis favorece fortemente o surgimento de alterações maiores do humor.

Quadro 1.1 Variação do comportamento com os diferentes graus de elevação do humor

	Eutimia	Hipertimia
Humor transmitido (afeto)	Normal	Magnético e com brilho, um tanto expansivo, confiante, enfático, com bom pique
Gastos	Moderados	Um pouco menos controlados, sem consequências maiores
Riscos	Evita os desnecessários	Experimenta alguns riscos desnecessários, mas sem consequências
Contato e convívio social	Escolhe a maneira mais adequada de cumprimentar e se relacionar, convive harmonicamente	Mais efusivo, toma a iniciativa de cumprimentos um pouco mais íntimos, espera para ser apresentado, cativante, fala mais ao telefone
Comunicação verbal	Fala e ouve, ritmo e volume normais	Influencia bastante a conversa, mas interage, tem opiniões firmes, discute civilizadamente, aumenta um pouco o volume e o ritmo da fala
Pensamento	Fluxo e conteúdo normais	Vivaz, criativo, espirituoso, irônico, otimista, com vários planos
Relações afetivas	Estáveis	Estáveis, bom apetite sexual, mas sem indiscrições, "puladas de cerca"eventuais
Visual	Não chama a atenção	Chama a atenção positivamente, vaidoso, vistoso usa roupas coloridas
Estilo de dirigir	Cauteloso e regrado	Um pouco mais rápido, costura um pouco, buzina, obedece aos sinais

Hipomania	Mania
Exibicionista, exagerado, dramático, evidentemente expansivo, arrogante, com muita energia e pouco sono	Escandaloso, bem arrogante, centro das atenções, agressivo, elétrico, dorme muito pouco
Age com desproporção, impulsivo, embora contornável, dívidas acumulam-se lentamente	Fora de controle, dívidas grandes em curto espaço de tempo, vendas e doações descabidas
Arrisca-se desnecessariamente, mas as consequências são, em geral, passageiras ou contornáveis	Busca ativamente e enfrenta novos e grandes riscos, que podem ter consequências sérias
Distribui abraços e beijos exagerados, apresenta--se espontaneamente, causa alguma surpresa ou rechaço, briga por motivos pequenos	Indiscreto, cumprimenta de modo invasivo e espalhafatoso, provoca ou envolve-se em desentendimentos e brigas
Domina a conversa, não aceita posições contrárias, interage pouco, fala rápido, bastante e com volume mais alto, usa palavrões facilmente, pode ser intimidador	Faz discurso, grita, fala muito rápido, mistura assuntos, ameaça ou ofende quem discorda ou interrompe, profere palavrões em excesso, age como dono da verdade, cria palavras, pode falar em rimas
Acelerado, contestador, algo grandioso e polêmico, às vezes se perde , com mil planos	Muito acelerado, muito grandioso e polêmico, fora da realidade, dispersivo, ideias se perdem facilmente
Vários relacionamentos "tapas e beijos", casos extraconjugais, grande apetite sexual, variações	Relacionamentos curtos, turbulentos, indiscrições sexuais, orgias, grandes noitadas
Chama a atenção em algum aspecto, usa roupas ousadas ou diferentes, cores vibrantes, exuberante, visual alternativo	Chama a atenção em um ou mais aspectos, pode chegar a exageros, gosto escandaloso, radical
Queima alguns sinais, não tolera ser ultrapassado, anda rápido, arranca sempre na frente, buzina bastante	Trafega em alta velocidade, não respeita sinais, canta pneu, faz roleta-russa nos cruzamentos

2

bipolaridade

QUANDO SE FALA EM TRANSTORNO DE HUMOR, LOGO SE PENSA EM depressão, uma doença que ganhou notoriedade nos últimos anos. A depressão tem como principais sintomas a tristeza, a falta de prazer, o desânimo, as alterações do apetite e do sono, inquietude ou apatia, diminuição de atenção e concentração, pensamentos negativos e catastróficos, assim como ideias ou tentativas de suicídio. Embora possam ser confundidas, deve-se diferenciar a depressão chamada unipolar da bipolar.

Até alguns anos atrás achava-se que cerca de 90% das pessoas com sintomas depressivos sofriam de depressão unipolar, ou seja, que nunca haviam manifestado ou manifestariam alterações de humor "para cima" ou "positivas", como euforia, aumento de energia, expansividade, otimismo exagerado, gastos impulsivos, atitudes arriscadas e ousadas. O que se percebeu nos últimos anos é que, em até metade dos casos, pessoas com depressão são do tipo bipolar, isto é, em algum momento da vida têm — ainda que de forma sutil e muito breve — alterações de humor "para cima", oscilação de humor maior do que o normal ou temperamento forte.

O termo "bipolar" expressa os dois polos de humor ou de estados afetivos que se alternam nesse transtorno: a depressão e seu "oposto", a hipomania ou a mania, dependendo da gravidade, cujas manifestações são euforia, energia exagerada, grandiosidade, aceleração e uma sensação de prazer intenso ou um estado altamente irritável e agressivo. Várias outras áreas são afetadas nesses estados alterados de humor, como sono, apetite, atividade motora, atenção e concentração, mas a essência está no estado geral do humor, ou seja, no modo como a pessoa se sente.

O transtorno de humor bipolar (mania ou hipomania e depressão) deve ser bem diferenciado do transtorno de humor unipolar, que ocorre geralmente em pessoas de temperamento mais brando, com alterações na direção do humor deprimido, sem as fases de humor elevado, eufórico ou irritável. Mesmo que ainda não tenham manifestado esses períodos de humor exaltado e expansivo, os bipolares tendem a ser pessoas de temperamento mais forte, intenso, energético, festivo, afetivo, aventureiro, escrachado ou apimentado (hipertímicos) ou alternar esses estados com fases mais negativas (ciclotímicos). Nos casos de humor instável, com oscilação frequente e imprevisível, muitas vezes não chegam a apresentar extremos de humor, o que é diferente de pessoas com depressão unipolar, que têm períodos depressivos de várias semanas ou meses sem trégua de um dia sequer. Apesar de a depressão comumente também fazer parte do transtorno de humor dessas pessoas, elas devem ser analisadas do ponto de vista do espectro bipolar e não unipolar, que tem abordagens de tratamento bem diferentes. *Muitos bipolares têm períodos depressivos e ansiosos muito mais marcantes e presentes do que os de elevação do humor, e por isso acabam sendo confundidos com unipolares.*

Na verdade, o humor normal deve flutuar entre os diversos estados de alegria, tristeza, ansiedade e raiva. *Saudável é a variação de humor de acordo com a situação, com intensidade e duração corretas*, embora correto seja relativo — e é para ser relativo mesmo. Levando-se em conta aspectos pessoais, sociais e culturais, é muito complexo objetivar qual a melhor reação de humor considerando-se as circunstâncias tão variadas que podemos vivenciar. O transtorno de humor começa quando algo no seu ajuste sai do prumo, como um instrumento que desafina, produzindo respostas emocionais de maneira desproporcional em intensidade e/ou duração, ou até mesmo mudanças no humor sem o estímulo necessário para ocorrerem na maioria das pessoas.

No perfil bipolar podemos incluir desde pessoas de temperamento forte, exagerado e impulsivo (temperamentos hipertímico ou ciclotímico sem transtorno de humor evidente) e que preferem novidades e aventuras à rotina, até o extremo dos portadores de transtorno de humor bipolar do tipo I, antigamente chamado de psicose maníaco-depressiva. Entre esses dois extremos estão os que têm versões atenuadas (bipolares leves), em que os estados alterados de humor depressivo e maníaco se manifestam, mas são mais brandos e breves do que nos bipolares do tipo I. Algumas pessoas desse espectro manifestam as alterações de humor mais como irritabilidade, apatia e/ou ansiedade do que como euforia ou tristeza. Todos fazem parte do mesmo espectro ou perfil, com características de temperamento semelhantes quando estão bem. Mesmo que a pessoa ainda não tenha apresentado as variações de humor para cima, pode ser considerada do espectro bipolar.

Todos esses nomes (bipolar, ciclotímico, hipertímico, bipolar do tipo I, II, III, IV — quanto maior o número, mais leve o transtorno) derivam do hábito de categorizar e classificar, o que de fato ajuda mais do que atrapalha. No caso de "espectro bipolar", o termo "bipolar" não representa bem a amplitude das situações reais. Em primeiro lugar, a ideia de que só existem dois polos do humor não é verdadeira, ou seja, o humor não varia apenas entre tristeza/depressão e alegria/euforia. Uma pessoa pode estar ansiosa, irritável, agitada ou entediada, por exemplo. Outro parâmetro importante está na velocidade: o humor pode ser acelerado/hiperativo ou lentificado/apático. Nos episódios mistos, o paciente pode estar mal, mas talvez não seja possível enquadrar os sintomas somente no polo positivo da mania/hipomania ou no polo depressivo, por haver uma mistura de sintomas dos dois polos (por exemplo, alguém sem energia e com o pensamento rápido, que não consegue desligar) ou uma rápida alternância entre estados mais agitados e eufóricos e outros mais apáticos e deprimidos. Apesar de um pouco vaga, para mim a palavra que melhor descreve esse estado misto de humor é *turbulência*.

Os diversos transtornos de humor, englobando as alterações para cima e para baixo, podem ser representados e descritos como no Quadro 2.1, baseado na proposta de Akiskal e Pinto.

Quadro 2.1 Tipos de transtornos de humor

	Espectro bipolar					**Espectro unipolar**	
	I	**II**	**III**	**IV**	**Ciclotimia**	**Distimia**	**Depressão maior**
Mania	•		**ADP/PE**				
Hipotomia	•	•			•		
Hipertimia	•	•	•	•	•		
Humor normal	•	•	•	•	•	•	•
Depressão leve	•	•	•	•	•	•	•
Depressão moderada	•	•	•	•	•		•
Depressão grave	•	•	•	•			•

ADP/PE — Estado de mania e hipomania somente sob o efeito do uso de antidepressivos ou psicoestimulantes.

Espectro bipolar

- Tipo I: apresenta toda a amplitude de variação do humor, do pico mais alto (mania plena), que pode durar várias semanas, até depressões graves. Em geral, inicia-se entre 15 e 30 anos, mas há casos de início mais tardio. É comum apresentar sintomas psicóticos, como delírios (pensamentos fora da realidade) ou alucinações (ouvir vozes que não existem, por exemplo). Se não for tratado, em geral prejudica enormemente o curso da vida do paciente.
- Tipo II: a fase maníaca é mais branda e curta, chamada de hipomania. Os sintomas são semelhantes, mas não prejudicam a pessoa de modo tão significativo. As depressões, por outro lado, podem ser profundas. Também pode iniciar na adolescência, com oscilação de humor, mas uma parte dos pacientes só expressa a fase depressiva perto dos 40 anos. Com frequência, os sintomas de humor deixam de ser marcadamente de um polo para ter características mistas, turbulentas e com muita ansiedade.
- Tipo III: é uma classificação usada quando a fase maníaca ou hipomaníaca é induzida por um antidepressivo ou psicoestimulante, ou seja, os pacientes fazem parte do espectro bipolar, mas o polo positivo só é descoberto pelo uso dessas drogas. Sem o antidepressivo, costumam manifestar características do temperamento hipertímico ou ciclotímico. Como regra, devem ser tratados como bipolares, mesmo que saiam do quadro maníaco com a retirada do antidepressivo, porque tendem a voltar a apresentar hipomania.
- Tipo IV: nunca tive mania ou hipomania, mas tem um histórico de humor um pouco mais vibrante, na faixa hipertímica, que

frequentemente gera vantagens. A fase depressiva só ocorre em torno ou depois dos 50 anos e, às vezes, é de característica mista e oscilatória.

- Ciclotimia: o padrão oscilatório do humor é marcante, mas não chega aos extremos de mania ou depressão, podendo se manifestar mais tarde de forma mista e ansiosa.

Espectro unipolar

- Distimia: são pessoas que apresentam humor predominantemente ruim, pesado, nebuloso, por vários anos, com raros momentos de eutimia, mas sem manifestar depressão grave. Tendem a ficar bem com o tratamento com antidepressivos, sem sintomas de ansiedade intensa, irritabilidade ou euforia.
- Depressão maior: os sintomas de depressão perduram por pelo menos algumas semanas, com prejuízo e sofrimento evidentes. Tendem a ser episódios mais longos do que as fases depressivas das pessoas do espectro bipolar. O temperamento tende a ser mais brando, rotineiro e cauteloso. O tratamento com antidepressivos é indicado. Quando a pessoa tem o padrão distímico e a ele se soma um episódio depressivo maior, temos a chamada depressão dupla.

"Tímico" vem da concepção antiga de que o timo, uma glândula localizada no tórax, seria responsável pelo humor. Assim, hipertímicos têm o humor predominantemente mais elevado e expansivo, enquanto ciclotímicos alternam (em ciclos) momentos mais energéticos e dinâmicos com outros mais apáticos e tristonhos. O espectro de humores que se afastam inadequadamente do "centro" ou da eutimia pode ser expresso como mostrado na Figura 2.1.

Figura 2.1 Estados de humor

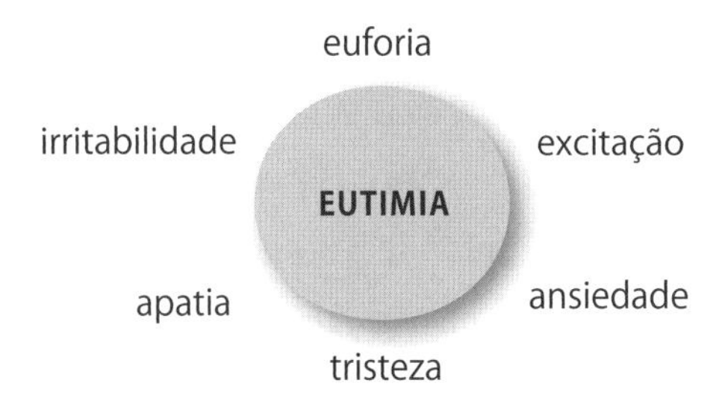

Para englobar a riqueza, a diversidade e a intensidade dos estados de humor que podem estar presentes nas pessoas do espectro bipolar, penso que o termo mais adequado seria pantimia: "pan" significa "todos", ou seja, pessoas que manifestam os diversos estados de humor de modo desproporcional à (ou independentemente da) situação. A pantimia também engloba o humor normal, a eutimia. Estados extremos de humor, sejam eles quais forem, chamam a atenção, e por isso ganham maior ênfase na nomenclatura; mas mesmo um bipolar do tipo I, sobretudo se adequadamente tratado, pode ter o humor normal em boa parte da vida.

Enquanto cerca de 1% da população é bipolar do tipo I, em torno de 6 a 8% manifestam uma das formas leves do transtorno (tipo II a IV e ciclotimia) durante a vida. Outra parte da população tem predominantemente os temperamentos mais dinâmicos, como hipertímico ou ciclotímico (ou com busca de novidades, dependendo da classificação usada), *sem apresentar alterações de humor* que mereçam maior atenção e, portanto, não precisam de tratamento. O que há em comum entre as pessoas do perfil bipolar é, geralmente, o temperamento, mas isso não é sinônimo de transtorno de humor.

É muito comum enquadrar uma pessoa que apresenta sintomas depressivos como primeira alteração de humor no espectro unipolar. No entanto, o fato de ainda não ter apresentado um episódio de elevação do humor clara não descarta a possibilidade de apresentá-lo no futuro. Um estudo recente mostrou que, entre pacientes internados pela primeira vez em uma unidade psiquiátrica com diagnóstico de depressão unipolar, *metade desenvolveu um episódio de mania ou hipomania em algum momento nos 15 anos seguintes*. O surgimento de hipomania foi três vezes mais comum do que de mania, o que está de acordo com o resultado de outros estudos epidemiológicos. Isso significa que o *diagnóstico na primeira internação deveria ter sido de depressão do tipo bipolar e não unipolar*. Como veremos adiante, há vários fatores que, se devidamente investigados, podem sugerir esse diagnóstico mesmo sem uma história clara de mania ou hipomania.

Costuma-se comparar o humor bipolar a uma montanha-russa. O paralelo não me agrada muito porque a montanha-russa tem, a rigor, pouco risco e não leva a lugar nenhum. Prefiro a metáfora do transtorno bipolar como um par de patins: em alguns lugares é difícil caminhar, em outros, anda-se muito mais rápido do que quem está sem eles. Quanto mais rápido, menos controle e mais chance de cair, mas maior é a emoção! Por isso, para quem conhece bem seus patins, aprende a andar minimizando os riscos e procura percorrer terrenos favoráveis, e ter patins pode ser até uma vantagem.

Filho de peixe...

Os temperamentos são uma expressão biológica decorrente de nossa composição genética, da mesma forma que as feições, a altura, a cor, os cabelos e a vulnerabilidade para certos tipos de doenças.

Na mistura que gera um indivíduo, o ambiente tem uma contribuição fundamental. As experiências ajudam a moldar nossa personalidade e nosso caráter, mas também são altamente influenciadas pelo nosso tipo de temperamento. Só sabe o que representa cair de uma bicicleta ou de um skate em alta velocidade quem se expõe a uma situação dessas. Frases do tipo "puxou o gênio da mãe", "é o pai escrito" ou comparações com algum parente mais distante apontam a presença de estilos e temperamentos de pais e avós nos filhos e netos, mesmo com a mudança dos tempos.

Outra comparação possível é com raças. Imagine, que em vez de temperamentos diferentes, tivéssemos raças de cães (e apenas quatro delas): são bernardo, dobermann, pastor alemão e dálmata. Cruzados entre si aleatoriamente, os cães produziriam misturas variadas, mas provavelmente ainda seria possível identificar as características mais marcantes de uma ou outra raça. Um pai e uma mãe predominantemente dobermann, por exemplo, gerariam filhotes quase puros, dependendo da combinação genética, enquanto outros sairiam mais mesclados. Cruzando outra vez os mais puros entre si, seus filhotes tenderiam a sair ainda mais puros.

Assim é com temperamentos: muitas pessoas não são completamente compatíveis com a descrição de um único temperamento, enquanto outras são "de raça mais pura". Por exemplo, a chance de um pai e uma mãe bipolares leves terem filhos com o temperamento semelhante ao deles é grande, e há uma chance razoável de algum filho herdar as características mais marcantes e ser mais "puro", ou seja, bipolar tipo I. Seria inesperado que pai e mãe dálmatas gerassem um pastor alemão. Pelo mesmo raciocínio, com pai ou mãe do espectro bipolar, temos ao menos de suspeitar que o filho possa pertencer ao

> O temperamento é, em grande parte, herdado geneticamente.

mesmo pedigree, que pode se manifestar por uma depressão profunda, sintomas de ansiedade ou abuso de drogas, por exemplo. A comparação também é útil para avaliar os efeitos da criação e do ambiente, que podem modelar um dálmata, tornando-o mais agressivo, ou um dobermann, deixando-o mais dócil. No entanto, se ambos forem criados em um ambiente gerador de agressividade, o dobermann será o cão mais irritável, hostil e agressivo, por somar a constituição genética ao ambiente.

Muitas vezes, o início de um quadro psiquiátrico do espectro bipolar é pouco definido. Pode começar com sintomas obsessivos, preocupações excessivas com o corpo e beleza, distúrbios alimentares, hipocondria, fobias, tiques, abuso de substâncias (como álcool, calmantes, maconha, cocaína), comportamento agressivo ou irresponsável, que podem até gerar problemas legais. Depois de alguns anos, ou em decorrência do próprio tratamento farmacológico inadequado (em geral, antidepressivos ou psicoestimulantes), revela-se um quadro de transtorno de humor bipolar mais claro. Pode também ocorrer de não se manifestarem significativos sintomas de oscilação de humor, predominando os de ansiedade, padrão de pensamento em extremos e comportamento inadequado ou inconstante.

Por isso, uma avaliação psiquiátrica completa não pode deixar de levar em consideração um bom histórico familiar. Não apenas para investigar se houve suicídios, transtornos psiquiátricos evidentes ou internações psiquiátricas, como é prática corrente, mas também para levantar as histórias pessoais dos familiares próximos, que podem revelar pioneiros, inovadores, líderes, pessoas carismáticas, com trajetórias de grande ascensão social, dons artísticos, fortes tendências religiosas, estilos alternativos, assim como jogadores patológicos, adúlteros, alcoólatras, drogados, tiranos, sociopatas, "malandros" e fóbicos. Essas características nos familiares indicam a presença da bipolaridade.

Estilo bipolar

Com essas características marcantes, não é de surpreender que as pessoas do espectro bipolar não passem despercebidas. Alguns estilos marcantes ou que saem ao menos um pouco do habitual frequentemente estão presentes. É comum que a atividade principal ou o hobby favorito dessas pessoas combine com sua alta intensidade ou velocidade interna: esportes radicais (muita adrenalina!) ou lutas, teatro, artes dinâmicas, política, publicidade, trabalhos criativos, viagens, curiosidade por coisas, lugares ou pessoas novas, atividades diferentes ou incomuns e até estilos de vida alternativos ou místicos — hippies, vegetarianos, espíritas, budistas, amantes da natureza. Grandes amantes da liberdade e da independência, adaptam-se melhor em ambientes mais soltos e em profissões nas quais não há um chefe muito presente, de preferência nas quais não há chefe. Com frequência, o estilo bipolar se adapta a cargos de chefia e liderança, a profissões liberais, às artes e aos esportes. Quando há superiores, não é incomum os bipolares desafiarem ou desrespeitarem a autoridade.

As profissões e atividades que exigem exposição pessoal, criatividade, agressividade, inovação, adaptação a situações e problemas novos, flexibilidade e agilidade mental são mais adequadas a quem tem o perfil bipolar. O que alguns consideram ter "ego" para enfrentar determinadas situações, podemos chamar de humor positivo ou de temperamentos “fortes”, que conferem o gosto por desafios, novidades, mudanças, quebras de tabus, enfrentamentos e riscos.

Nas pessoas de temperamento ciclotímico, a experiência de ter também fases mais depressivas confere uma sensibilidade e um lirismo menos comum nos hipertímicos. Vários escritores de sucesso são dessa linhagem bipolar e por isso discorrem à vontade sobre os sentimentos mais profundos e pessoais, mas também têm o colorido e a agilidade para as histórias mais divertidas e pitorescas. Não é surpreendente que essas pessoas sejam tão bem-sucedidas nas artes em geral. Elas também parecem ter uma facilidade maior para entrar em um estado chamado de *fluxo*, em que se fica como que embebido, absorto na realização de uma atividade adorada e dominada, com sensação de leveza e bem-estar que geralmente tem resultados maravilhosos. Depois de passado esse estado não é raro que o próprio autor, no seu humor normal, se surpreenda com a qualidade, a fluência ou a criatividade da obra. Muitas vezes, esse estado é precipitado por um desafio ou uma oportunidade que estimula os bipolares leves a se envolverem e realizarem até o fim a atividade em questão.

Uma mesma profissão também pode ser exercida com estilos bem diferentes. Não é à toa que os jogadores de futebol mais polêmicos, impulsivos ou carismáticos são em geral atacantes ou meios-campistas. O atacante tem que ter a gana de fazer o gol, a agressividade. O meio-campista precisa da visão rápida e articulada, da criatividade, da ousadia de um passe longo. E ambos têm de sustentar a pressão de cobrar um pênalti com uma multidão olhando. O defensor, ao contrário, tende a ser mais reservado, se expor menos, tem de ser consistente e confiável, aplicado taticamente, não pode querer inventar quando a bola está na sua área ou quando a passa para o companheiro.

Um cabeleireiro pode cortar sempre da mesma maneira, e há clientes que querem exatamente isso, enquanto outros querem variar e criar com cortes e cores diferentes. Um professor pode ser burocrático e ortodoxo ou interagir com os alunos, propor atividades diferentes e arriscar novos métodos, tornando a aula mais dinâmica e menos controlada, embora o ambiente possa se tornar agitado demais em alguns momentos. Um laboratório pode ser o local onde são realizados sempre os mesmos exames, com rigor técnico e reprodutibilidade, mas há pesquisadores que veem nele um ambiente de criação, descoberta, desafio e prazer. A diversidade dessas práticas e estilos é importante e desejada por servir a situações e necessidades também variadas.

As pessoas do espectro bipolar, principalmente da forma leve, muitas vezes conseguem aliar pique e versatilidade e fazer várias atividades simultaneamente. As combinações podem ser as mais variadas. Um empresário assume uma ONG, pratica tênis, toca em um grupo de jazz e adora escalar nos fins de semana. Se sobrar um tempinho, o que sempre consegue, faz um curso de culinária ou de degustação de vinhos e ainda fica amigo do professor. Algumas são apaixonadas por um grupo musical, movimento cultural, tipo de arte, equipamento (moto, por exemplo), animal ou planta, com uma necessidade constante de novidade, brincadeira, aprendizado e prazer que, se não conseguem supri-la de algum modo, correm o risco de ficar entediadas. Outras acabam ficando superficiais por logo se cansarem da nova onda em que se envolveram ou porque avistaram outra potencialmente

> Os bipolares leves gostam de se envolver em várias atividades ao mesmo tempo.

melhor. Acham que dessa vez será para valer, mas logo repetem a mudança. É o ciclo das paixões fugazes.

Há quem alie a busca de novidades à impulsividade nas compras, entrando no vermelho com frequência: vê, ama e compra em poucos minutos — e, às vezes, nem usa o que comprou. Não pensa em como vai pagar, porque sempre acha que vai dar um jeito! Quanto ao comportamento sexual, podem adotar práticas menos ortodoxas, na busca de novidades e sensações. A impulsividade pode se manifestar também no comer compulsivo, em episódios de cleptomania ou até em atos contra si, como arrancar os cabelos ou se ferir.

É comum que durante a vida os bipolares leves tenham tido várias profissões, hobbies, turmas de amigos, relações afetivas e amorosas de diversos níveis de intensidade e duração. Quando mais velhos, com frequência permanecem em contato com os mais jovens. Está namorando alguém 20 anos mais jovem? É do espectro bipolar até que provem o contrário, porque a jovialidade e até traços de infantilidade duradoura (no bom e no mau sentido) podem ser marcantes nesse grupo. Também não estão nem aí para o que os outros vão pensar, e até gostam de causar certo impacto.

O fato de terem feito várias coisas não quer dizer que não as tenham feito bem, apesar de alguns serem superficiais em tudo. O tino, o talento, a versatilidade e o intenso envolvimento na atividade fazem com que pulem de aprendizes a mestres em pouco tempo. São desse espectro muitos dos talentos precoces ou excepcionais em áreas tão diversas como artes, esportes, negócios, mídia, religiões, ciência. Muitos *self-made (wo)men* — o dono de uma carrocinha de cachorro-quente que se torna proprietário de uma rede de restaurantes, a costureira que cria uma grife e o boy que vira diretor — são provavelmente da família bipolar do tipo leve. Nesses casos mais produtivos, há uma dose razoável de persistência aliada à busca de novidades e à ousadia. Podem ser chefes motivadores e carismáticos ou agressivos e obstinados, com afrontas e afetos transbordantes, tudo pelo melhor desempenho possível. Porém, volto a frisar: *só vira transtorno de humor se surgirem sintomas que atrapalhem em algum grau a pessoa segundo sua própria avaliação ou segundo a percepção dos outros*, que seguidamente identificam os problemas de maneira mais clara, principalmente se forem excessos do humor elevado.

Também é comum encontrar entre os bipolares os grandes notívagos, produzindo bastante se estiverem a trabalho ou curtindo as madrugadas de diversas maneiras. Para alguns, o dia começa só à tarde e vai bem até a madrugada, com manhãs dedicadas ao sono. Esse biorritmo, que pode ser diferente nos momentos mais estáveis, acaba francamente afetado quando ocorrem episódios de humor alterado. Na mania plena podem seguir-se dias apenas com cochilos ou até sem dormir, enquanto na depressão é comum o excesso de sono. Na hipomania, poucas horas de sono resolvem e a pessoa já acorda embalada. Principalmente no temperamento hipertímico, algumas pessoas têm o costume de ficar bem com pouco sono diário (quatro a seis horas), sem necessidade de outros cochilos.

Por outro lado, a falta de vocação para desempenhar trabalhos rotineiros e regulares pode atrapalhar as jornadas pessoais. O tédio imposto pela mesmice pode ser vencido pela ambição, pela capacidade de gerenciar outras pessoas ou pela invenção de táticas para se livrar das tarefas monótonas. Na escola, pode haver dificuldade na adaptação a esquemas rígidos, mas bom desempenho em atividades mais soltas, criativas, excitantes e participativas. Ficar assistindo a uma aula de um assunto que não interessa, sem utilidade aparente e imediata, e em um formato convencional definitivamente é um drama para muitos bipolares leves. Outro drama é estudar para uma prova em vez de brincar ou aprender coisas mais dinâmicas e interessantes. O rendimento escolar pode, portanto, ficar abaixo da capacidade intelectual, que muitas vezes é destacada. Na vida adulta, o padrão continua o mesmo. Uma família com valores sólidos, como responsabilidade, disciplina e compromisso, pode ajudar a construir essas qualidades de caráter desde a infância, com dificuldades de adaptação.

Outra característica da bipolaridade é a facilidade e a rapidez com que os planos são mudados. Se a ideia era de ficar um fim de semana na praia e está legal, quem sabe mais uma semana? Postergar um compromisso, dar um jeito aqui e outro ali, acionar alguém para substitui-lo... Se bobear, acabar se mudando para a praia. Alguns inventam histórias ou mentiras para justificar suas rápidas mudanças de vontade e encobrir atos impulsivos. *As mentiras não são necessariamente devidas a um caráter ruim, servem simplesmente para reduzir o impacto das atitudes impensadas.*

Uma festa é divertida e animada na proporção da presença de pessoas em estado hipertímico, que contagiam as outras. Elas são a alma da festa, as idealizadoras, promotoras e motivadoras. A chegada dos pantímicos mais exuberantes na festa é tudo menos tímida e sorrateira: sobram beijos e abraços, o figurino pode incluir um chapéu roxo, um tênis laranja, 15 cores diferentes na mesma peça, a última moda ou a de 20 anos atrás, um modelo completamente confortável e despojado ou ainda uma generosa exibição do corpo. Além deles, outro fator dá o tom da festa: as pessoas que não expressam essas características naturalmente bebem e ficam com o humor mais positivo, ou seja, parecido com as hipertímicas, com sorriso largo e afeto solto.

A abundância afetiva traz óbvias vantagens, mas tem facetas perigosas, ainda mais porque as características são, em geral, compartilhadas por familiares. Com tanta afetividade circulante, o risco é estabelecerem-se relações em que há dificuldade de desapego dos pais, dos irmãos ou companheiros, ou seja, uma espécie de dependência afetiva ou simbiose. A presença concomitante do temperamento de necessidade de contato social pode acentuar essa situação de dependência afetiva. Se as características de ansiedade e impulsividade forem fortes, as relações podem ser tumultuadas por discussões e brigas. Esse apego entra em conflito com o princípio de liberdade e independência inerente ao perfil bipolar, podendo criar um clima tenso nas relações familiares. A facilidade de criação de novos vínculos afetivos faz com que esse tipo de situação possa se repetir com amigos ou companheiros.

Uma situação que demonstra isso são os *reality shows* como o Big Brother, aliás um prato cheio para pessoas de padrão hipertímico e bipolares leves, já que, para programas como esses funcionarem, os participantes devem ter o tempero e os sabores marcantes dessa linhagem. Mesmo em um ambiente de competição e exposição, em poucos minutos os concorrentes mencionam características pessoais ligadas a esse tipo de temperamento, sendo, possivelmente, a autenticidade a mais comum.

Bipolares costumam ser bem melhores em conquistar do que em preservar.

Com base nessas características, não surpreende que mulheres bipolares apresentem um perfil de comportamento próximo ao que concebemos como masculino nos aspectos de risco, exploração, conquista, ambição e extroversão, em vez do estereótipo da dona de casa submissa à rotina.

Uma manifestação comum da bipolaridade é a transcendência, que é a relação intensa com alguma forma de religião, filosofia de vida ou corrente mística. Certamente há forte influência do ambiente e da cultura, mas o desejo é de encontrar um porto para abrigar questões existenciais, de crença e de fé. O envolvimento tem caráter mais afetivo do que racional e, de certa forma, canaliza parte da inquietude intrínseca aos padrões hipertímico e ciclotímico — o que pode ser muito bom.

Além da sensação subjetiva de energia, entusiasmo, felicidade ou expansividade, podemos perceber muitos comportamentos objetivos resultantes desse estado de espírito. Já sabemos que nem todos os tipos de humor elevado ou "positivo" são necessariamente positivos, portanto, incluem-se aqui os estados mais agressivos, irritados e fanáticos. Entre todas as facetas que o humor em excesso e o temperamento forte podem adquirir é comum o princípio da expansividade, da ocupação de espaços, da imposição de um estilo ou conteúdo e da transposição de fronteiras interpessoais, que podem acontecer de diversos modos:

- Intimidade física: se dá pelo toque, abraços e beijos já no primeiro momento de encontro, de maneira mais intensa que o habitual em relação à própria cultura. Em geral é um comportamento bem-vindo, mas, dependendo da pessoa que recebe ou do tipo de sociedade (a inglesa, por exemplo), pode ser interpretado como invasivo. Na mania plena, essa conduta pode chegar a ser inapropriada, indecorosa ou intimidadora e pode também se expressar pelo comportamento sexual promíscuo.
- Agressividade física e verbal: em um nível mais primitivo, os limites pessoais são ultrapassados na forma de agressão física,

impulsividade e alta reatividade a provocações mínimas; aciona-se uma metralhadora verbal com alto poder de destruição, com frases sarcásticas e autoritárias. Em algumas circunstâncias, esse tipo de comportamento é altamente adaptativo e vantajoso, como em um lutador de vale-tudo ou jiu-jitsu, ou mesmo em um operador da bolsa de valores, mas na maioria dos ambientes, principalmente o familiar, é muito danoso.

- Carisma e magnetismo pessoal: de uma maneira bem mais sutil, mas igualmente invasiva ao espaço individual psíquico dos outros, uma pessoa muito carismática e magnética ocupa um território no imaginário e no afeto das pessoas, tornando-se ídolo, guru ou líder.
- Ação política: pessoas que ocupam posições políticas podem fazer-se presentes na vida dos outros. É um papel positivo para a sociedade se for exercido de maneira adequada. Incluem-se aqui tanto os idealistas ferrenhos como os que usam cargos para tirar vantagens, achando que podem fazer tudo sem consequências. A diferença está no caráter e não no temperamento.
- Profissões de contato pessoal, poder e posições de liderança: um cirurgião manifesta ou sublima sua agressividade em um trabalho de enorme valor e se sente confiante o suficiente para exercer uma atividade com óbvio caráter invasivo, que reflete seu temperamento. A rigor, qualquer especialidade médica ou da área da saúde, em geral, pode se prestar a uma forma de poder pessoal sobre os outros. A capacidade de liderar e mandar também precisa de um grau de autoconfiança considerável, ou seja, as atividades que de alguma forma conferem poder são bem talhadas para as pessoas de temperamento mais forte. Porém, podem ser exercidas de maneira

democrática e respeitosa, assim como também há a possibilidade de um exercício prepotente e autoritário. Com frequência, os bipolares leves têm a capacidade de liderar grupos complexos de profissionais pela versatilidade de pensamento e pela capacidade de entender o suficiente de cada área para integrar todos os conteúdos e apontar os caminhos a serem tomados. Essas pessoas também usam bastante a intuição, além da razão, para determinar suas condutas, muitas vezes com resultados surpreendentes.

- Arte: qualquer artista que exponha seu trabalho para consumo público está de algum modo desejando habitar um espaço, psicológico ou até físico, de seus consumidores — quer que cantarolem suas músicas, vejam seus filmes, usem suas roupas, pendurem seus quadros. Também influenciam as novas modas e tendências da sociedade em diversas áreas.
- Generosidade: o ato de ajudar alguém ou uma comunidade é outra maneira de interferir e fazer-se presente na vida dos outros. É uma das melhores formas de expressão de humor positivo.

Nos casos mais leves, como dos ciclotímicos e dos bipolares tipo IV, o estilo bipolar está presente, mas de forma atenuada. A necessidade de movimentação e mudança não obrigatoriamente afeta a regularidade de suas carreiras ou relações, mas, depois de já estabelecidos no trabalho e na vida familiar, podem passar a investir em uma nova profissão ou em um novo hobby, assim como em viagens ou eventos que dinamizem suas vidas.

Mecanismos de defesa e ataque

A psicologia enfatiza muito a avaliação dos mecanismos de defesa do indivíduo, sendo que algumas estratégias usadas pela mente para autoproteção são mais evoluídas do que outras. Por exemplo, diante de uma situação ruim, pode-se reagir de maneira mais imatura, negando ou distorcendo o fato, jogando a culpa nos outros ou assumindo condutas agressivas. Por outro lado, pode-se antecipar o fato, preparar-se para ele, "matar no peito" os problemas que surgem, depois brincar com a situação e, quem sabe mais tarde, canalizar a raiva para um esporte, atitudes que refletem maior capacidade e maturidade.

Muitas pessoas do perfil bipolar têm baixa tolerância à frustração e usam predominantemente os mecanismos de defesa menos maduros, como a negação, a distorção ou a projeção dos sentimentos que têm contra si nos outros. Em compensação, são dotadas de um bom arsenal psicológico de ataque. O balanço entre ataque e defesa é inerente a praticamente tudo na vida: à montagem de um time de futebol, à preparação de uma estratégia política ou comercial, ao ensaio para participar de uma discussão.

Por incrível que pareça, na psiquiatria e na psicologia tradicionais ainda se falha em avaliar as qualidades dos pacientes e praticamente não se investigam as estratégias que a pessoa tem para conseguir o que quer, ou seja, para exercer a função de ataque e conquista. Imagino que uma torcida não ficaria descontente se seu time levasse três gols em uma partida em que fizesse seis. Assim como um time de futebol pode deixar furos na defesa por privilegiar o ataque, muitas pessoas do espectro bipolar têm estratégias mais frágeis e primitivas de defesa psíquica, ao mesmo tempo que têm confiança ou apostam em seu poderio de ataque. E, como se diz, o próprio ataque é um modo de se defender.

Para continuar na metáfora, pode até ser maduro para um time antecipar as jogadas do adversário, assimilar e assumir a responsabilidade, valorizar o mérito do adversário em um gol sofrido e depois fazer graça da situação, mas se a equipe pega a bola no fundo da rede e transforma o episódio em mais gana para passar por cima do adversário, isso talvez leve a um resultado melhor no fim das contas. Claro que o time pode acabar sofrendo uma goleada, mas, pelo empenho e vontade de buscar o gol, a torcida não ficará contra. Em uma série de jogos, é possível que aplique mais do que leve goleadas, porque esse temperamento também favorece talentos no ataque, o que reduz a regularidade do time.

Várias características do perfil bipolar podem ser consideradas parte de um arsenal psicológico de ataque: ousadia, criatividade, entusiasmo e energia, sedução e carisma, vocação para a conquista, pensamento rápido e versátil, liderança, inovação, visão, capacidade de motivação e automotivação, muito associadas a um alto grau de otimismo, esperança e autoconfiança. Enquanto essas características parecem bem evoluídas, a agressividade e a intimidação não soam assim. Já a impulsividade pode levar ao ataque, mas também tem potencial de gerar grandes derrotas por precipitação, dependendo da situação. Pode levar a quebras de regras desnecessárias, com trapaças ou sacanagens. Assim, parece que a combinação dessas características de ataque sem quebra de regras básicas, com uma dose razoável de persistência e controle da impulsividade, favorece a projeção, o sucesso e a conquista.

Conheço um bipolar leve que expressa várias dessas virtudes, atualmente canalizadas para os negócios. Ele vinha trabalhando há seis meses em um grande contrato que caminhava para os acertos finais. Um dia "se encheu" da forma como o outro empresário lidava com o negócio e mandou tudo às favas. Apesar do grande esforço despendido até então para se controlar, já que é de sua natureza querer tudo para ontem, sua cota de paciência acabou e impulsivamente ele ofendeu o futuro parceiro, gorando a transação para sempre, já que voltar atrás não é o seu forte.

Pessoas com esse perfil se adaptam menos facilmente ou até rechaçam as avaliações psicológicas que usam o referencial psicanalítico clássico, que enfoca basicamente os problemas e conflitos do paciente, muitas vezes com base em uma postura distante e impessoal. Ou seja, se o processo for rígido demais, pode ser incompatível com esse tipo de temperamento por não considerar igualmente as qualidades e os recursos pessoais e psicológicos, assim como por não usar o componente afetivo no relacionamento, o que geralmente é abundante nos bipolares, mesmo em ambiente terapêutico. Isso não quer dizer que sejam contraindicadas intervenções com esse referencial teórico, mas é importante respeitar a baixa tolerância a esse tipo de técnica por vários desses pacientes. Por outro lado, essa abordagem pode beneficiar o desenvolvimento de mecanismos de defesa mais maduros e adaptativos. Voltando à metáfora do futebol, o psicanalista tradicional é percebido como um técnico retranqueiro, mas o time bipolar tem vocação e talento para o ataque. Conseguir combinar um ataque hábil e rápido a uma defesa bem organizada pode fazer com que o time passe a ganhar de 4 x 0 ou 6 x 1, em vez dos 6 x 3 de antes. No entanto, quando busca tratamento, em geral, o paciente está perdendo o jogo. Logo, no curto prazo, é bem mais estratégico "partir para cima" para virar a partida.

3

HISTÓRIAS DE PESSOAS COM temperamento forte SEM TRANSTORNO DE humor

As características dos temperamentos mais fortes e marcantes podem se expressar de diversas maneiras e com grande intensidade, *sem transtorno de humor*. Essas histórias pessoais mostram que o temperamento propiciou conquistas, projeção pessoal e realizações de modo harmônico. Em ambos os casos a serem descritos, o temperamento é marcante, com a presença da busca de novidades e baixa evitação de risco, assim como o caráter bem desenvolvido, com senso de autodirecionamento e cooperatividade. O estilo arrojado se manifesta de diferentes formas, sendo o primeiro caso mais desprendido e carismático e o segundo, voltado para o empreendedorismo profissional na linha empresarial.

Temperamento hipertímico

Alberto é agora um senhor jovial de 60 e poucos anos, professor e pesquisador universitário. Entre várias de suas qualidades, certamente destacam-se a simpatia, o otimismo, o interesse por pessoas, o carisma exuberante, a agilidade mental e a imensa capacidade de se apaixonar por novos amigos, por turmas de aula e temas de pesquisa.

Entre suas marcas registradas, estão as roupas muito coloridas e confortáveis, a risada ampla, a jovialidade constante e o afeto transbordante, que contagia desde os colegas e amigos mais antigos até os mais novos conhecidos. É um organizado dentro de sua desorganização e um árduo e hábil defensor de suas ideias e crenças, sem segregar ou maltratar quem não as compartilha. Sua história pessoal é rica em mudanças de cidades e países, onde cativou diversos amigos que mantém até hoje. Como aluno, certamente encantou seus professores e orientadores, inclusive os estrangeiros, tanto que em vez de continuar a trabalhar com eles em seus países, acabou seduzindo-os a morarem na sua cidade e trabalharem na sua universidade.

Aliada a esse magnetismo, está uma imensa capacidade de valorizar o que as pessoas têm de melhor, ao ponto de, às vezes, deixar de ver os defeitos. Esse tipo de atitude faz com que a pessoa que está com ele sinta-se realmente especial. Já vi muitas pessoas de fato muito positivamente influenciadas por esse convívio, que inspira comportamentos mais generosos, afetivos e simples em quem se deixa permear pelo seu jeito de ser. Como tem muitos recursos para conseguir o que quer, só em último caso exerce a autoridade, já que nessas situações se sente desconfortável, por não conceber que alguém seja superior aos outros, demonstrando seu caráter evoluído.

Entre tantas qualidades aparecem também algumas características que nem sempre ajudam. Primeiro problema: como consegue se relacionar com a melhor parte de cada pessoa, algumas não tão boas parecem-lhe boas. Isso traz vínculos importantes também com pessoas de difícil convívio ou de caráter duvidoso, abrindo espaço para rasteiras, mesmo sendo a exceção, porque é raro alguém escolher uma conduta que gere afastamento dele em vez de aproximação. Outra dificuldade sua está em dizer não ou cortar do grupo alguém que não esteja se adaptando. Fazer parte de uma banca para a seleção de um professor ou de alunos para pós-graduação, por exemplo, significa dizer não a muitas pessoas em quem ele consegue ver méritos importantes.

Se alguém propõe um trabalho ou apresenta uma ideia de que ele não gosta ou em que não está interessado, "dá uma enrolada", mas não corta. Se gosta ou acha que pode dar certo, a reação é muito favorável e transparente. Se realmente gosta, a reação é apoteótica! Com o carisma e afeto que tem, o resultado é que quase todo mundo sai, no mínimo, motivado para implementar o projeto ou ideia com ele. Algumas colaborações não dão certo, mas a maioria dá, e o resultado é que se tornou um pesquisador muito produtivo, não só pela capacidade e versatilidade intelectual, mas também pelo extremo talento em lidar com pessoas. Além da necessidade de novidades nas áreas de ciência e artes, tem o temperamento do contato social e um grande senso de cooperatividade, que trazem harmonia para as relações afetivas.

É um grande festeiro e anfitrião, sendo raro deixar alunos ou funcionários pagarem uma conta. Depois de pagar ou se questionado sobre os custos, responde desviando do assunto com um pronto "outra hora a gente acerta". Reforçando a noção de pedigree familiar, seu irmão é um empresário importante, inovador, independente, articulado e respeitado, ao passo que a irmã é uma artista plástica inovadora que já teve problemas com abuso de álcool.

Temperamento ciclotímico, mas tendendo para o hipertímico

Na infância, era difícil acordar Felipe de manhã cedo para ir à escola, onde tinha um rendimento muito acima da média, apesar do pouco esforço. A escola tradicional demais não inspirava grandes emoções. A família tinha um tempero diferente e arrojado, que destoava até mesmo em uma cidade grande. A mudança para uma escola mais participativa e de amizades mais interessantes despertou um brilho até então latente. Sua ironia era fina e corrosiva quando queria, as piadas e gozações brotavam num piscar de olhos. Sintonizava-se naturalmente com o melhor na música, no cinema e na literatura. Tinha interesse e extrema facilidade com idiomas, e fazia por fazer as tarefas rotineiras e maçantes.

Na faculdade de administração, começou com notas boas, que foram decaindo gradualmente pela falta de apelo e interesse. Obedecendo a seu ritmo biológico natural, passou a dormir até bem tarde, acordando cedo apenas nos dias necessários para ter presença nas poucas aulas da manhã, nas quais voltava a dormir ou ficava lendo. Por outro lado, dedicava-se com entusiasmo a ler jornais e revistas nacionais e internacionais, que também o ajudavam no aprendizado das línguas que estudava. Falava rápido e enrolado, porque a boca não acompanhava a velocidade do pensamento. Interrompeu o curso de administração para viajar à Austrália, onde morou em três cidades no período de um ano, trabalhando no que aparecesse. De volta ao Brasil, na seleção para estágio de uma empresa de prestígio, bateu os 80 concorrentes para a única vaga, apesar do histórico escolar mediano na faculdade.

Depois de formado, nas seleções que disputou nas melhores empresas, pôde escolher onde queria ficar e optou por uma menor, porém mais instigante. Acabou mudando um pouco de rumo e foi fazer MBA em uma das mais badaladas e disputadas escolas dos Estados Unidos, por mérito próprio. Seu currículo variado e de aventura, com alguns idiomas fluentes, aliado a argumentos ágeis, carisma e versatilidade naturais, ajudou bastante.

Mesmo nas horas de folga alimenta o cérebro com informações e novidades da sua área de trabalho ou de culturas diferentes. É literalmente viciado em novas informações. Em raras ocasiões, apesar dos sólidos valores morais da família, passou um pouco do humor e teceu comentários ferinos demais, que deixaram alguma mácula em relações próximas, mas no geral transmite um afeto caloroso e leve, que tem rendido um círculo crescente de amizades, com alguns momentos de intolerância em relação àqueles que não andam na sua velocidade mental.

Seu trabalho o expôs a situações desafiadoras, demandando uma boa dose de habilidades sociais, o que fazia com que se mantivesse envolvido e rendendo bem. Com o tempo o ambiente e o trabalho ficaram pouco desafiantes e diferentes e seu humor ficou mais irritado. Em função de alguns atritos, entrou em psicoterapia e melhorou muito no humor e nas relações. A terapia também o fez repensar alguns valores, resolveu mudar de ares e foi morar por um ano com a família em um país exótico. Esse processo certamente reduz a chance de voltar a ficar mais intolerante e irritável a partir dos 40 anos, até porque há bipolares leves nas famílias materna e paterna. O avô materno era dado a pôr a família no carro sem grandes planos e sair viajando. Tinha arroubos de generosidade, era sociofundador e presidente de clube, grande motivador e líder de empreitadas marcantes para a época, mas não necessariamente bem-sucedidas. O avô paterno era um grande formador de opinião por onde passava, impulsivo e carismático, amante da política.

Pai, mãe e as três irmãs são destaques nas áreas em que atuam. Excetuando dois episódios depressivos da mãe e de algumas tias, a família expressa muito mais as vantagens dessa linhagem do que a carga dos transtornos de humor. A mãe, tratada para "depressão" com características de sono excessivo aos 50 e tantos anos, dava a impressão de não estar deprimida para quem a visse de fora e obteve destaque social e profissional em sua história de vida. Ficou com o humor exageradamente exaltado e fulgurante ao tomar um antidepressivo, mas não chegou à hipomania, voltando ao normal após a interrupção do tratamento. Dois anos mais tarde, em um episódio de humor instável e depressivo, ficou muito bem com um estabilizador de humor, tratando-se, de fato, de uma bipolaridade leve do tipo IV.

4

DO TEMPERAMENTO AO transtorno de humor

MUITAS PESSOAS COM TRAÇOS HIPERTÍMICOS FORTES NUNCA APRESENtam qualquer tipo de transtorno de humor, seja depressão ou mania. Ao contrário, são pessoas bem dispostas, positivas, produtivas, aproveitam a vida e estão muito bem, obrigado. O importante é registrar que pessoas assim, ao passarem por um episódio depressivo, muitas vezes expresso em apatia, excesso de sono e irritabilidade, deveriam receber tratamento considerando o espectro bipolar, e não que tivessem uma depressão unipolar, o que muda o tipo de remédio e as precauções a serem tomadas. Pelo menos do nível mais leve até o nível bipolar tipo II, parece existir certa correlação entre a presença de sintomas de humor e o grau de vantagens da linha bipolar, ou seja, as pessoas mais bem-sucedidas e brilhantes desse espectro carregam uma carga "compensatória". Já os bipolares do tipo I precisam superar a intensidade dos sintomas para poder manifestar essas vantagens de maneira mais consistente.

Uma comparação possível é com carros. Os mais simples não têm tanto conforto ou opções, mas são confiáveis e de fácil manutenção e nunca oferecerão os riscos das altas velocidades. Os modelos mais sofisticados e de ponta enchem os olhos, são rápidos, ágeis e confortáveis, mas um eventual problema pode ser mais difícil de resolver e a um preço mais alto. No extremo, os carros de corrida são os mais rápidos, andam no limite da velocidade, mas são sensíveis e vulneráveis, quebrando mais facilmente.

Os tipos de temperamento são importantes para entender os diferentes tipos de transtornos de humor:

- Hipertímico: quando desenvolve um transtorno de humor, tende a ter mais episódios maníacos ou hipomaníacos, com humor eufórico ou irritável, mas pode ter episódios depressivos e mistos também.
- Depressivo: o transtorno de humor resultante é logicamente a depressão unipolar, ou seja, não manifesta períodos de mania ou hipomania e o tratamento com antidepressivos é adequado.
- Ciclotímico: a tendência do transtorno de humor é se expressar na direção da mania ou da depressão, dependendo do caso e do momento. Com o tempo, tende a gerar estados mistos, de humor instável, ansioso e turbulento.
- Irritável: quando se desenvolve um transtorno de humor, a irritabilidade chega a extremos de agressividade, com grande mal-estar e desconfiança, até o extremo da paranoia. O pavio, que já era curto, quase desaparece.

Como já foi dito, o mundo dos pantímicos, ou do espectro bipolar, está recheado de elementos que podem ser positivos e divertidos: criatividade, energia, pique, ousadia, gozação, originalidade, senso de humor, ironia, liderança, diversão, sensualidade exacerbada, gargalhadas soltas, visual diferente, extravagante ou alternativo, sinceridade extrema, paixão, extroversão, entusiasmo, exageros, desafios, competitividade, conquista, autoconfiança, generosidade desprendida, busca de novidades e de prazer, afetividade, iniciativa, autenticidade, carisma, charme, espontaneidade, noites viradas, tagarelice, fala alta, gosto pelo que há de melhor. No entanto, essas características passam a se expressar de maneira negativa quando surge o transtorno de humor na direção do polo da mania (veja o Quadro 4.1).

Quadro 4.1 Temperamento forte com e sem transtorno de humor

Sem transtorno de humor	Com transtorno de humor
Criatividade, originalidade e ousadia	Quebra de regras desnecessárias e inconsequente, "queima o filme"
Alta energia e pique	Descompasso com os outros, gerando algum isolamento ou atrito, impaciência, ansiedade, inquietude e explosividade
Gozação e ironia	Brincadeiras excessivas e ofensivas
Sinceridade e autoconfiança	Inadequação e falta de respeito, exibicionismo, arrogância
Senso de competitividade e conquista	Competição desleal
Liderança	Fica autoritário
Interesse e envolvimento	Fica fanático
Busca de novidades e sensações	Abuso de drogas e atividades que envolvem riscos físicos
Afetividade e interesse sexual	Promiscuidade e indiscrições
Visual diferente	Visual agressivo ou escandaloso
Fala vibrante e engraçada	Fala alta, cansativa e imprópria
Iniciativa	Impulsividade
Espontaneidade para ficar à vontade	Estilo espaçoso e "folgado"
Gosto pelas coisas	Intolerância às coisas não tão boas
Carisma e charme	Necessidade de ser notado
Consumo de álcool baixo ou moderado	Consumo abusivo de álcool, autotratamento

Esses períodos mais críticos podem durar poucos dias e, por haver uma recuperação espontânea, pode-se não dar muito valor a eles. Com o passar dos anos, é comum o humor ficar cada vez mais vulnerável e incontrolável, e os episódios de humor alterado podem se tornar mais frequentes, duradouros e graves. Se não for adequadamente tratada, a pessoa sofre repercussões psicológicas mais profundas, porque um humor oscilante afeta muito a autoconfiança e a autoestima — já que o humor resolveu tomar rumo próprio sem dar satisfações. Essa sensação de insegurança é particularmente presente em pessoas com o padrão ciclotímico.

É como se fôssemos passageiros de um avião chamado humor. Quando tudo vai bem, o voo ocorre sem turbulências e o piloto automático dá conta do recado sem esforços. Na direção da mania, o avião vai subindo a alturas perigosas que, no extremo, podem chegar à estratosfera. Pode ser eletrizante, mas corre-se o risco de o avião não aguentar ou não conseguir retornar. Na depressão, o avião está em queda livre, o voo baixo consome muito mais energia ou tem que ser mais lento, e o risco é de colapso. Já os estados mistos ou de ciclagem ultrarrápida são voos com grande turbulência ou com um piloto dado a piruetas arriscadas sem nosso consentimento. Infelizmente, assim como não escolhemos o avião, o piloto ou as condições de voo, também não escolhemos o humor e o temperamento que temos. Uma das razões da grande importância de identificar precocemente as alterações do humor é poder ajustar as doses de medicação, conversar com o terapeuta e adotar estratégias eficazes em relação ao ambiente, e assim prevenir novos episódios de alteração plena.

Cerca da metade dos pacientes com algum tipo de transtorno de humor bipolar relata vivenciar oscilações bruscas e fugazes, o que

> Perceber os primeiros sinais de alteração do humor ajuda a prevenir novos surtos.

pode durar de algumas horas a poucos dias. Esse padrão de altíssima oscilação, com ciclagem ultrarrápida, está associado a algumas características peculiares dentro do espectro da bipolaridade. Nesses pacientes, as alterações de humor, em geral, iniciaram-se antes dos 18 anos. É comum ficarem exaltados e energizados ao tomarem antidepressivos, abusarem de drogas (mais em homens) e sentirem ansiedade (mais em mulheres), que se manifesta nas formas de ataques de pânico, fobias, transtorno obsessivo-compulsivo, entre outros transtornos, como bulimia. Os estados de alta oscilação de humor e os estados mistos são também os momentos de maior risco de tentativas de suicídio, geralmente de caráter impulsivo, sem prévio planejamento e ruminação. A trajetória do transtorno de humor é variada, mas alguns padrões podem ser identificados. Em pessoas com bipolaridade, a depressão e a mania podem surgir praticamente em qualquer momento da vida, apesar de ser mais comum entre os 15 e 30 anos nos casos mais sérios, podendo se manifestar mais tarde nos casos leves. Alguns apresentam oscilações fortes e bruscas de humor no fim da infância ou no início da adolescência, ou ainda manifestam irritabilidade e agressividade exageradas para essa fase da vida. É importante salientar que a bipolaridade na infância não se manifesta com episódios claros de humor elevado ou deprimido, e sim com humor misto: grande oscilação, irritabilidade, turbulência, distração e condutas desafiadoras e impulsivas. Esses quadros podem ser confundidos com déficit de atenção e hiperatividade.

As versões leves do transtorno de humor bipolar muitas vezes se expressam de maneira negativa e depressiva somente em torno dos 40, 50 anos. Diria que os bipolares do tipo IV, em geral, se deprimem ou ficam carregados no humor depois dos 50, e os outros bipolares leves (II e III) antes ou bem antes, no máximo aos 40 e poucos anos. São pessoas que antes tinham um temperamento hipertímico, com progresso pessoal, visibilidade social, reconhecimento e energia constante e, quando parecia que já tinham tudo o que queriam, começaram a expressar o humor deprimido, irritável ou uma sensação de bateria fraca, que pode se transformar em quadros sérios de transtorno de humor. Não é raro que uma das manifestações dessa alteração de humor seja o aumento do consumo de bebidas alcoólicas, que pode até ser considerado uma forma de autotratamento.

O álcool é bastante ruim como "tratamento", mas acaba produzindo uma momentânea sensação agradável de bom humor, por ter algum efeito que eleva e estabiliza o humor. Infelizmente, quando procura tratamento psiquiátrico, a maioria acaba sendo enquadrada entre os depressivos unipolares e recebe antidepressivos ou é tratada como alcoólatra. Alguns passam vários anos com o humor ruim, com altos e baixos, até que alguém se dá conta de que o tratamento farmacológico deve ser direcionado de maneira diferente, por meio de estabilizadores de humor.

Vendo de fora, as pessoas não entendem o que está acontecendo e começam a cobrar uma resposta do humor, que não depende de quem está sofrendo do transtorno. Ao compreenderem que pode haver uma depressão, de fato, mesmo naquela pessoa que antes passava tanta confiança e entusiasmo, atiram a fatídica frase de "apoio": "Você tem que se ajudar!". Se o humor está mais turbulento, com atos inconsequentes, o conselho é mais na linha do "se controle!". Desrespeitar a premissa básica de que quem está deprimido ou com o humor agitado não escolheu ficar assim piora as coisas, porque aumenta a sensação de impotência. O que esse tipo de atitude pode gerar é a vontade de dar uns tabefes em quem insiste no "você tem que se ajudar".

Quem está de fora pode ajudar, com mais sucesso, oferecendo apoio, compreensão e disponibilidade para atenuar os prejuízos do momento. Muitas vezes é um familiar ou amigo que toma a decisão de procurar ajuda especializada, porque quem está doente pode não ter energia suficiente, pode negar a necessidade de tratamento ou estar louco de medo de ir a um psiquiatra ou psicólogo. Frequentemente procura um neurologista, um clínico geral ou um tratamento alternativo, antes ou em vez do especialista adequado.

Muitas pessoas com bipolaridade nunca manifestam sintomas claros de humor eufórico, mas têm um padrão de instabilidade ou oscilação de humor, com fases depressivas ou mais impulsivas passageiras. No padrão ciclotímico, às vezes, expressam oscilações de maneira mais aparente de outras formas. Por exemplo, pessoas com propensão à obesidade sofrem o efeito sanfona, vendedores têm períodos bons e ruins de vendas, outros, em geral mulheres, mudam constantemente o visual, com alterações na cor e no corte do cabelo e no estilo de se vestir. Essa instabilidade pode ser reflexo de fases de maior intensidade ou desânimo, que são mais sutis do que períodos de humor depressivo ou eufórico propriamente ditos.

Alguns pacientes manifestam a bipolaridade de modo atípico, que não se encaixa nas descrições já feitas. Isso ocorre porque uma das marcas das pessoas do espectro bipolar é a intensidade das reações afetivas, combinadas a pensamentos exagerados que podem se expressar desde cedo pelo seu polo negativo, gerando ansiedade e reações dramáticas. Com frequência, são encaixados em diagnósticos de transtorno de ansiedade, transtorno obsessivo-compulsivo ou algum tipo de fobia, inclusive a social, apesar de fazerem parte, na verdade, do espectro bipolar. Também há bipolares que têm história de inibição ou timidez e só mais tarde, em geral na adolescência, passam a se expressar de modo mais expansivo e extrovertido.

Todos sabemos o que é ansiedade por experiência própria, como a sensação angustiante de um descompasso entre um ambiente e nós mesmos, e isso varia de pessoa para pessoa. Por exemplo, posso ficar muito ansioso com uma prova e pouco ansioso à espera do resultado de um exame médico, ao passo que com outra pessoa é o contrário. Tenho a impressão de que um tipo de ansiedade mais comum de encontrar em bipolares do que em não bipolares é a sensação de que está faltando alguma coisa, e não sobrando, que está acontecendo menos do que deveria para harmonizar com a velocidade interna. Por isso, acabam usando calmantes (que funcionam como paliativos, no curto prazo) mais do que deveriam, em vez de buscarem um tratamento para trabalhar e corrigir as bases psicológicas e biológicas do problema.

5

BIPOLARES leves

Os BIPOLARES LEVES SÃO UMA VERSÃO ATENUADA DOS BIPOLARES do tipo I ou amplificada em comparação com pessoas que apresentam somente os temperamentos hipertímico ou ciclotímico sem alteração de humor. O esquema usado neste livro compreende os bipolares do tipo II, III, IV e os ciclotímicos, na ordem dos mais aos menos graves. A bipolaridade leve traz consequências que podem ser desagradáveis, mas frequentemente traz vantagens quando se consegue adaptar as atividades ou os estilos de vida às características pessoais. Os bipolares leves não chegam a um quadro de mania plena, em que a euforia extrema, a grandiosidade, a dispersão, a excitação, o comportamento de risco, a alta velocidade do pensamento e a diminuição da necessidade de sono atingem extremos que levam a enormes prejuízos. Os bipolares leves podem ter períodos de poucos dias ou horas em que ficam mais alegres, autoconfiantes, produtivos, energizados, atilados e criativos.

Nesse estado, também podem ocorrer prejuízos em algum nível, com gastos excessivos, exposição a situações de risco e momentos de impulsividade, eventualmente contrabalançados ou atenuados pela expressão simultânea de algumas vantagens. Por exemplo, uma pintora pode, em poucos dias, pintar o suficiente para uma nova exposição e seus quadros ganham em criatividade, mas talvez ela abra mão de fazer outras coisas porque está envolvida demais em pintar. Seu marido talvez não goste muito de ter que se adaptar a essa situação, mas, conhecendo-a, compreenderá que ela está em uma fase muito inspirada e produtiva. Em algum momento, a fase passa e as coisas se normalizam. Em uma fase de humor mais triste, os quadros podem refletir o estado mais existencial e contemplativo. Ou seja, trata-se de alguém com flutuação de humor maior do que uma pessoa normal, e isso confere características distintas aos momentos em que o humor não está na faixa "normal".

Essa história pode não ter grandes consequências, mas é importante entender que se trata de uma pessoa que tem uma chance maior de apresentar um quadro de depressão mais grave, ou de fazer gestos ou ter atos impulsivos que prejudiquem seus planos de vida. Pode passar muitos anos com sintomas e repercussões leves, para os quais busca algum alívio em mudanças de ambiente ou tratamentos alternativos que, muitas vezes, funcionam pelo menos por algum tempo. Assim vai até desenvolver um quadro depressivo maior e, só então, procura ajuda especializada.

A maneira de pensar dos bipolares costuma ser também de extremos. Palavras intensas (Maravilhoooooso! Fantástico! Bárbaro! Um horror! Terrível!) ou que conferem intensidade (muito, extremamente, completamente, demais) são usadas em abundância, como se não houvesse meios-termos. O lado bom é que algo legal é vivenciado como muuuiiito legal, demais! Enquanto o predomínio do humor for para cima, esse padrão de pensamento provavelmente gera mais alegria, felicidade e satisfação comparado ao de outras pessoas. O problema é que, quando o humor não está tão bom, o pensamento também vai para o extremo do negativo e o impacto emocional pode ser muito pesado. O sofrimento maior faz com que o pensamento fique ainda mais negativo, criando-se um ciclo vicioso entre o pensamento e as emoções. Se o período mais depressivo se prolongar, o pensamento fica cada vez mais deformado e negativo, com sofrimento cada vez mais intenso e persistente. Por exemplo, se o peso ideal é 51 quilos, 49 não é um pouco mais magra, é um palito! E 54 é uma baleia!

Ou seja, a dificuldade de conseguir dimensionar as situações sem logo cair nos extremos pode ser complicada de gerenciar. Esse formato de pensamento em extremos se manifesta negativamente de diversas formas: sintomas obsessivos, fobias, ansiedade generalizada, ciúme patológico, pão-durismo, paranoia ou preocupação excessiva com algo, por exemplo, a aparência física, manifestações não raras em pessoas do espectro bipolar.

Uma sensação difusa e geralmente leve nos pantímicos é a de que sempre há algo faltando, uma eterna insatisfação, insegurança. Às vezes, é a principal queixa, descrita como ansiedade ou tédio. Visto pelo lado negativo, talvez seja um problema. Mas pode-se entender que essa sensação é o que leva a pessoa a querer criar, inovar, investir, conquistar. Entender e aceitar essa característica, tirar proveito e fazer as pazes com ela é melhor do que combatê-la, já que não adianta cultivar

> É comum entre os bipolares a sensação permanente de que algo está faltando.

a fantasia de que ela desaparecerá totalmente, inclusive por fazer parte do temperamento. Infelizmente, algumas pessoas se tornam realmente insaciáveis e acabam se excedendo na busca por novidades, se expondo a riscos e utilizando meios duvidosos para conseguir o que querem.

É mais comum haver homens hipertímicos puros do que mulheres, que tendem a ser mais ciclotímicas. Ambos estão sujeitos a episódios de depressão, mas a mulher expressa mais o afeto triste, melancólico ou ansioso. O homem mostra principalmente o humor irritável, o pavio curto, seguido de abuso de drogas. Aliás, quando a depressão é acompanhada de muita irritabilidade já podemos suspeitar de bipolaridade. Outras características mais comuns na depressão dos bipolares do que na dos unipolares:

- aumento de sono em vez de insônia;
- humor que pode reagir em situações favoráveis, interessantes ou excitantes, contribuindo para que a depressão seja disfarçada;
- episódios mais curtos e frequentes, às vezes, com oscilações de humor no intervalo de horas ou dias, em vez de uma grande depressão prolongada;
- aparecimento da primeira depressão ou alteração de humor antes dos 25 anos;
- qualquer sintoma, por mais breve que seja, na direção da mania — aumento de atividade, energia, excitação, irritação, pensamento acelerado, aumento de gastos em futilidades, atitudes arriscadas;
- depressão com muita desconfiança ou psicótica;
- depressão após o parto (iniciada até quatro a seis semanas depois do nascimento do bebê).

Acredita-se que a depressão pós-parto aconteça pela queda brusca de hormônios sexuais femininos, como o estrogênio. Outra situação em que isso ocorre é no período da menopausa, que pode favorecer o surgimento de um transtorno de humor. Muitas mulheres bipolares do tipo IV, antes pessoas energéticas, ativas e destacadas, começam a apresentar o humor pesado e ansioso. O transtorno de humor e a menopausa podem até estar relacionados, mas não necessariamente. Na busca de razões para o mau humor, culpam os mais chegados, como o marido, gerando crises conjugais e até separações, ou atribuem a depressão à distância dos filhos, o que de fato pode contribuir, sobretudo no caso de pessoas com reações emocionais intensas e ampliadas. Sendo, de fato, um transtorno de humor bipolar do tipo IV, bastaria realizar o tratamento farmacológico adequado (hormonal e/ou com estabilizadores de humor) e talvez uma psicoterapia breve, visando, entre outras coisas, alterar a rotina para aumentar a atividade e formar novos vínculos afetivos. Os antidepressivos podem exacerbar o desejo de mudança e a impulsividade, precipitando inclusive novas discussões e brigas.

Uma boa avaliação do temperamento e do estilo da pessoa ajuda muito a direcionar a identificação do tipo de transtorno de humor. Um temperamento mais brando, sem busca de novidades ou de desafios maiores, que evita riscos e se adapta bem a situações que demandam rotina, regularidade e disciplina, sugere depressão unipolar. Se o temperamento é mais forte, intenso, de extremos e com estilo marcante ou diferente, é mais compatível com a bipolaridade. Algumas vezes, os estados depressivos e ansiosos dos bipolares leves não são reconhecidos pelos outros porque a pessoa continua dinâmica, brincalhona ou bem-arrumada, apesar de estar se sentindo mal em boa parte do tempo, principalmente quando está sozinha.

Como o humor é reativo, acende-se em situações interessantes, excitantes ou prazerosas, para piorar logo depois desses momentos. No entanto, uma pesquisa que acompanhou semanalmente dezenas de bipolares do tipo II por mais de dez anos constatou que os sintomas de depressão eram 40 vezes mais comuns do que os de hipomania. Observou ainda que sintomas depressivos leves eram três vezes mais frequentes do que estados depressivos maiores, e que em mais da metade do tempo algum sintoma estava presente, mesmo que de forma leve. Conclusão: trata-se de um problema crônico, de longo prazo. E, como os sintomas predominantes são na linha depressiva, é compreensível que pareça depressão tipo unipolar, mesmo não sendo.

Os bipolares do tipo IV são os mais fáceis de confundir com pacientes com depressão pura. Nunca tiveram mania ou hipomania, não cometem excessos maiores, muitas vezes são bem-vistos ou conseguiram destaque e respeito profissional. Até que lá pela quarta ou quinta década de vida surge, às vezes lentamente, uma fase depressiva com alguma das características já descritas. Quando procuram ajuda médica, como regra recebem antidepressivos, que podem ter efeitos variados, como aumentar a ansiedade e a irritabilidade, ou resolver rapidamente a depressão até o humor passar um pouco do ponto. Ficam hipertímicos, o que significa que se sentem superbem, mas as pessoas próximas percebem de vez em quando algo anormal ou em excesso que, em geral, deixam passar. Alguns sentem que superam a depressão com doses mais altas de antidepressivos, mas ao mesmo tempo passam a ter dificuldades para dormir, para se "desligar", passando a usar hipnóticos. Muitos ficam bem por algumas semanas ou meses, até começarem a piorar novamente. E os médicos com frequência aumentam a dose, trocam ou acrescentam outros antidepressivos, obtendo os resultados mais diversos.

Quando se chega à conclusão de que o tratamento poderia ser diferente, com a redução de antidepressivos e o uso de estabilizadores de humor, a diferença pode ser percebida em poucas semanas. Uma paciente bipolar do tipo IV havia tomado antidepressivos por cerca de um ano sem melhora sustentada. Ao sentir o efeito da substituição dos remédios, disse que a sensação era de despressurização até voltar à "pressão" normal. Outra, aos 78 anos, recebera diagnóstico de demência de Alzheimer por estar com problemas de concentração e de memória, agitada e com o humor ruim. Ao reduzir os antidepressivos, que não haviam feito desaparecer os sintomas, e introduzir estabilizadores de humor, em poucos dias a filha pôde dizer: "Minha mãe está de volta".

Histórias de bipolares leves

Temperamento hipertímico + bipolar leve do tipo II

Guilherme é energia em pessoa, aprende voando tudo o que lhe interessa e não tem medo de grandes desafios e obstáculos. Foi precoce, rompedor, inovador e bem-sucedido onde quer que tenha botado a mão. Antes dos 20 anos teve sucesso na bolsa de valores, operando para os grandes da época. Fez dinheiro rápido, mas também perdeu bastante. Era campeão, ou quase, nos esportes que praticava: motocross, surfe e diversas modalidades de lutas. Organizou e participou de algumas aventuras, confusões e brigas com consequências físicas razoáveis, mas sem sequelas permanentes. Depois de alguns anos, largou tudo, tentou viver de maneira "zen" na praia, mas logo acabou criando um produto e um estilo de grande sucesso, que ainda por cima quebraram regras sagradas da publicidade. Veio ao consultório por indicação da irmã, também bipolar, que eu já havia atendido.

Guilherme notava que seu pavio estava cada vez mais curto, a irritabilidade e a agressividade estavam sem controle, atrapalhando sua vida. Rondava os 40 anos e já havia percebido que o temperamento também impedia que tivesse envolvimentos amorosos mais duráveis e receava perder o mais recente relacionamento. A irmã já sabia do que se tratava e passou a ele um panfleto sobre transtorno de humor bipolar. Todos os panfletos do gênero que conheço são sobre bipolares tipo I, e Guilherme ficou particularmente intrigado com a informação de que na mania (plena) as pessoas se acham especiais ou superpoderosas, apesar de não o serem. Seu currículo extraordinário e original indicava uma pessoa fora de série em diversas áreas. Por outro lado, reconhecer as vantagens que o perfil bipolar havia lhe proporcionado não me impediu de concordar que havia repercussões não tão desejáveis na área afetiva e do bem-estar: um humor instável e turbulento, bombardeado por ataques de raiva desmedida que atrapalhavam suas relações.

Medicado com um estabilizador de humor, o rapaz demonstrou redução dramática da explosividade, sem perder o brilho, o pique e o magnetismo naturais, e as reações capazes de provocar arestas no relacionamento diminuíram bastante. Não sente nenhum efeito colateral ou desvantagem pelo tratamento. Seus conhecidos não tardaram em apontar a mudança. A única vez em que voltou a "armar um barraco" tinha bebido algumas doses de uísque, mas não é novidade que o álcool "solta o bicho" e descontrola os impulsos, particularmente nos bipolares. Seria praticamente impossível tentar tratar Guilherme nos seus 20 e poucos anos, apesar de ele ter passado por riscos que poderiam ter custado caro. Na juventude, a onipotência pode impedir que se reconheçam as desvantagens do espectro bipolar. Com o passar do tempo, no entanto, as pauladas da vida afrouxam essa onipotência e permitem que os tratamentos, tanto farmacológico como psicoterápico, sejam encarados como ajuda e não como recurso de doentes ou loucos. Quanto mais cedo se percebe isso, mais se consegue manter as vantagens e abrandar as desvantagens da bipolaridade.

Temperamento ciclotímico + bipolar leve do tipo II

A mãe de Pedro percebeu que o filho tinha um carisma arrebatador logo nos primeiros anos. Amigos, professores e desconhecidos não escondiam o encantamento. Conheci Pedro aos 23 anos, depois de vários tratamentos em uma trajetória profusa em irregularidades e fracassos. Começou com problemas na escola, durante a adolescência. Para alguns, as aventuras, a rapidez na mudança de interesses e a falta de disciplina levaram à pecha de vagabundo. Com alguns tropeços, foi avançando na escola e chegou a entrar na universidade. No fim da adolescência, iniciou tratamento à base de antidepressivos e psicoestimulantes, com diagnósticos de déficit de atenção ou depressão, e também tratou-se por abuso de álcool e uso de maconha e cocaína. Apesar da vida agitada e desorganizada, nunca perdeu os amigos e o alto grau de sedução.

Ele chegou ao consultório em plena turbulência, sob risco considerável de suicídio e com os pais justificadamente cansados, mas obstinados a buscar uma solução. Nas noites em que saía, não raro acabava perdido e drogado, e seus pais tentavam encontrá-lo na manhã seguinte. A melhor hipótese ainda não testada era a de bipolaridade leve, até porque a história demonstrava que os antidepressivos (fluoxetina, paroxetina, venlafaxina, bupropiona) e os psicoestimulantes (metilfenidato — Ritalina®) mais haviam atrapalhado do que ajudado. Não foram meses fáceis para eles, mas, aos poucos, com ajustes no esquema de estabilizadores de humor e o sucesso crescente em abandonar desestabilizadores como a cocaína, tudo foi entrando nos eixos. Em pouco mais de um ano de tratamento à base de estabilizadores de humor (lamotrigina associada a doses baixas de topiramato e olanzapina), o humor se acertou e ele passou a confiar que no dia seguinte também estaria bem. Ele ainda usa maconha, o que atrapalha o humor e a persistência, mas nada comparado aos anos anteriores. A família também se trata e, embora ainda haja atritos, os sinais de evolução são inegáveis.

O maior desafio de Pedro passou a ser conseguir manter a regularidade em alguma atividade produtiva na universidade ou na empresa do pai. Seu padrão de gratificação era muito imediatista, ou seja, preferia jogar videogame, sair com amigos ou fumar "um baseado", que alimentavam sua voracidade por prazer e ação, mas não o levavam muito longe. No caos em que viveu por mais de cinco anos, não admira que tenha se habituado a viver o aqui e agora. Busca de novidades e interesse social são as características naturais de seu temperamento, ao passo que evitação de risco e persistência são escassos. Responde mal a críticas ásperas, mas os olhos brilham quando estimulado.

Depois de passagens pela contabilidade e pelo direito, o desafio era descobrir o tipo de carreira que se adaptaria mais a seu temperamento.

Entrou no curso de cinema e, apesar de levar menos a sério do que poderia, foi o primeiro curso que concluiu e não teve que repetir nenhuma disciplina. Atualmente, vem se dedicando a buscar um nicho para atuar na área e está disposto a fazer os "deveres" para chegar às conquistas que almeja.

Para pessoas como Pedro, a regularidade em uma atividade não vem da capacidade de seguir adiante, mesmo em condições adversas, como é o caso do pai, mas de algo que o envolva suficientemente para que trabalhe em busca de gratificação, usufruindo de seu carisma e da facilidade de contato com as pessoas. O envolvimento do pai, que tem um temperamento marcado pela persistência, ajudou muito a torná-los companheiros e a respeitarem suas diferenças. Assim, aos poucos Pedro está aprendendo a lidar com as áreas de que gosta. Felizmente, suas capacidades de planejamento, autodisciplina e organização têm-se desenvolvido, mas provavelmente nunca se tornarão seus pontos fortes. O remédio não faz isso por ele, apenas impede que o transtorno de humor volte a atrapalhar.

Temperamento hipertímico + bipolar leve do tipo II

Estela foi uma adolescente cativante e cheia de amigos. Tinha talento particular para o vôlei, destacando-se como uma das melhores atletas do Estado aos 18 anos. Sua vocação era o ataque, e seguia seu estilo, sem dar atenção às instruções do técnico. Cursou jornalismo, mas tornou-se uma conceituada astróloga. Tirava tudo de letra, namorava bastante, era ligada na tomada e perto dos 30 viveu uma fase (que durou alguns anos) de consumo excessivo de álcool. Durante anos tomou carbamazepina (estabilizador de humor) e deixou de ter problemas com bebida. Vivia cercada de amigos e vários clientes também entraram para esse círculo de amizade. Tinha uma memória prodigiosa para detalhes dos mapas astrais, mal precisando consultá-los para tirar dúvidas de um cliente que ligava para ela. Sofria de insônia crônica, que pode ser interpretada como uma constante diminuição da necessidade de sono. Era exagerada e exuberante quando estava entre amigos. Em uma festa, dominava a cena com piadas e simpatia.

Aos 40 e poucos anos, deprimida e ansiosa, passou a fazer outros tipos de tratamentos, inclusive com o santo-daime, que a deixou psicótica por semanas e sem trabalhar por um ano. Mais tarde passou a usar estabilizadores de humor e antidepressivos. Piorou com alguns problemas familiares e de relacionamento afetivo, enquanto a dose dos antidepressivos aumentava. Isso tornou o quadro mais misto, com humor turbulento. Reclamava que vários estabilizadores (lítio, carbamazepina, ácido valproico, olanzapina) geravam a sensação de uma vida em preto e branco, sem graça, e pedia mais antidepressivos, ou seja, seu comportamento e a resposta farmacológica insatisfatória limitavam e influenciavam o campo de ação. Chegou a ficar maníaca por um dia por conta do aumento dos antidepressivos. Foi quando comecei a tratá-la.

Não restava alternativa a não ser retirar os antidepressivos, que contribuíam para o quadro instável e os breves picos de mania, e acrescentar estabilizadores de humor. Levou alguns meses até ela se convencer de que poderia ficar sem antidepressivos. Isso foi possível porque sentiu-se muito melhor com a lamotrigina, que não gerava a sensação de preto e branco, não causava efeitos colaterais e ajudou particularmente nas fases depressivas. Chegou a ser internada por nove dias devido ao caos e à falta de suporte familiar. Mais alguns ajustes de medicação foram necessários para ela melhorar bastante para voltar a trabalhar bem e ter clareza de raciocínio. Mais tarde retomou um intermitente relacionamento com um homem 12 anos mais novo.

Aos 50 anos, Estela aparenta dez a menos. Em fases de ansiedade maior, volta a fumar até dois maços de cigarros em poucas horas. Seu modo extremado de pensar, que antes gerava alegrias intensas por fatos nem tão maravilhosos, por vezes inverte a polaridade e gera tristezas e ansiedades fragorosas, mesmo em eventos banalmente desagradáveis. Quem a ouve falar sobre a própria aparência imagina uma bruxa atropelada, o que definitivamente não corresponde ao corpo elegante e ao rosto de feições delicadas e harmônicas. Aqui entra a função da psicoterapia, para remodelar o formato dos pensamentos, tornando-os menos trágicos e extremistas, mas o resultado ainda é modesto. Essa deformação do pensamento tem sido muito influenciada pelos anos de sintomas predominantemente depressivos e pelas fases escabrosas por que passou.

Um dos irmãos é um empresário bem-sucedido, enquanto outro exerceu várias atividades, não se fixou em nada e tem uma vida instável. A mãe, que apresentava humor pesado, ansioso e choroso, trocando o dia pela noite, respondeu bem ao tratamento com a mesma lamotrigina, mas em dose bem mais baixa, e com ativo suporte de uma enfermeira. Atualmente, o dia a dia de Estela está razoavelmente organizado, mas ela não voltou ao humor predominantemente bom e temperado da fase anterior aos 40 anos. Os invernos coincidiram com suas piores depressões e ainda hoje fica de baixo astral nos dias frios e nublados, melhorando bastante na primavera e no verão. Quando está entre amigos, fica muito bem.

Ciclotimia + fobia social + ciúme patológico

Aos 13 anos, Vanessa estava um pouco acima do peso, mas vivia bem. Certo dia, estava de saia curta e dois sujeitos passaram por ela na rua e a chamaram de gorda. Desde então passou a se fechar, deixou de mostrar as pernas e tornou-se extremamente crítica com seu corpo. Ganhou mais peso e conta ter, por vezes, *flashbacks* daquele dia e do que sentiu — característica de quem tem transtorno de estresse pós-traumático, para se ter uma ideia do grau de extremismo com que sua mente computou aquela experiência. Chegou a ter pequenas fases em que comia muito para logo depois vomitar, a chamada bulimia. Aos 20 e poucos anos, recebeu diagnóstico de transtorno de personalidade do tipo *borderline* (ou fronteiriço) e durante dois anos fez terapia de orientação analítica com um médico residente. Passou por duas tentativas de suicídio nas interrupções do tratamento, nas férias.

Aos 27 anos começou a namorar um rapaz bem-apessoado. Os valores morais muito firmes do namorado não foram suficientes para que deixasse de desenvolver um quadro de ciúme patológico. Um telefonema de uma colega de trabalho para ele resultava em agressão física, gritaria e ameaças. Na primeira vez em que a atendi, chamou minha atenção o fato de ela não manter nenhum tipo de contato visual durante a consulta. Logo ficou claro tratar-se de um quadro de fobia social. Além de ter uma enorme dificuldade de olhar para as pessoas, achava-se estranha e acreditava que todos reparariam negativamente em algum aspecto físico seu, a ponto de ter se isolado de grande parte do convívio social que tinha.

Decidimos deixar um pouco de lado a questão da personalidade e tratar a fobia social. Iniciei o tratamento com terapia cognitivo-comportamental e com antidepressivo (paroxetina, com até

40mg por dia) também indicado para fobial social. Com a combinação terapia-remédio, a mais indicada para esses casos, ela melhorou bastante da fobia social em cerca de 12 semanas. Sentindo-se bem, foi reduzindo lentamente o tratamento com o remédio sem maiores problemas. Meses mais tarde, ela me procurou no consultório com queixas de humor carregado e descontrole de impulsos em algumas situações com o namorado. Na época, eu estava começando a identificar manifestações mais sutis do espectro bipolar. Ao questioná-la sobre seu nível de agressividade, contou que as portas do seu armário estavam praticamente destruídas pelos socos e pontapés dos momentos de destempero. Na história familiar, surgiu o pai, um boêmio mulherengo que abusava de álcool e tinha um gênio muito difícil; mudou-se várias vezes de cidade e de emprego e abandonou a família quando ela ainda era criança de colo. A mãe dizia que Vanessa herdara o gênio do pai.

Sem a fobia social, Vanessa assumiu atividades temporárias e mais tarde iniciou um curso de estilismo, no qual sentia-se bem por conseguir canalizar sua criatividade e imaginação. Baseado nesses dados de história familiar, temperamento e estilo, além do padrão oscilatório de humor, iniciei o tratamento com um estabilizador de humor (oxcarbazepina — Trileptal®), que foi eficaz para as oscilações de humor, impulsividade e agressividade. Indiquei o livro *A mente vencendo o humor*, um guia de autoterapia cognitivo-comportamental que ela estudou com afinco e que ajudou a diminuir seu padrão extremado, negativo e generalizador de pensar.

No último verão, começou a ganhar peso (de 59 para 65), perder cabelo, ter ressecamento de pele e de cabelo, leve inchaço e desânimo, quadro que mais tarde foi diagnosticado como hipotireoidismo (nem tudo é psiquiátrico!). Ela conta que, ao contrário do que ocorria no passado, não se desesperou com o aumento de peso e procurou identificar e resolver o problema. Ficou bem com o tratamento hormonal e está finalizando seu curso com excelente desempenho. As crises de ciúme já não terminam em agressões físicas e vem melhorando gradativamente. Nas últimas semanas, tem conseguido reverter atitudes de ciúme patológico com o auxílio das técnicas cognitivo-comportamentais. Em consequência, o namorado, que vivia ressabiado e preparado para levar xingões e sermões, passou a abraçá-la imediatamente após situações em que ela deixou de ter a reação de ciúme (homens não são muito verbais mesmo...). Manteve o tratamento e, com o passar dos anos, sua personalidade se tornou cada vez mais estruturada e adaptada.

Apesar de fazer parte, segundo minha avaliação, do espectro bipolar, nunca manifestou sintomas de hipomania, mesmo tomando antidepressivo, mas tinha o humor irritável e agressivo e um padrão de grande oscilação. Todas as alterações que apresentou (fobia social, bulimia, ciúme patológico, fases depressivas, quase transtorno de estresse pós-traumático, diagnóstico de transtorno de personalidade *borderline*) tinham em comum o padrão extremista de pensar. Sua grande virtude foi reconhecer o problema como seu e não dos outros, o que infelizmente não ocorre em todos os casos. Para evoluir psicologicamente, essa é a premissa básica. Mais tarde, ficou claro que sua melhora no começo do tratamento se deu pela psicoterapia cognitivo-comportamental, "apesar" do tratamento com antidepressivo, que, por sorte, não induziu a um quadro de humor exaltado e agressivo.

6

TRANSTORNO DE humor bipolar DO TIPO I

O EXTREMO DESTE GRUPO QUE INTEGRA O ESPECTRO BIPOLAR SÃO AS pessoas com transtorno de humor bipolar tipo I, antes chamado de psicose maníaco-depressiva. Esse termo foi abolido pelo tom exagerado e pela incorreção, já que nem sempre ocorrem sintomas psicóticos, que incluem percepções irreais, como ouvir vozes (alucinações) ou ter pensamentos fora da realidade (delírios persecutórios ou a convicção de ser dotado de poderes especiais, por exemplo). Esses sintomas podem até ser confundidos com um quadro de esquizofrenia e raramente ocorrem nos bipolares leves.

O que se define como tipo I é a persistência do estado de mania por pelo menos uma semana e em um nível claramente prejudicial. A mania inclui euforia, aumento de energia, expansividade, otimismo exagerado, atitudes arriscadas e ousadas, diminuição da necessidade de sono e dispersão. No fim das contas, o que está errado no estado maníaco é a sensação de estar superfeliz, excitado e supermaravilhado (ou superagressivo e arrogante) mesmo sem motivo aparente, e isso acaba gerando riscos e comportamentos inadequados que acompanham o humor eufórico ou irritável, que fazem parte do polo "positivo" do transtorno.

No estado de mania plena, os extremos e excessos são constantes. É comum ter uma energia que não acaba, falar muito, muito rápido e muito alto, trocar de assunto ou de atividade sem concluir nada ou conversar sobre vários assuntos ao mesmo tempo, estar mais interessado em si do que nos outros durante a conversa, ter a atenção desviada por qualquer estímulo externo e até ir conferir do que se trata; arriscar-se desnecessariamente em atos como correr de carro ou de moto, passar em sinais vermelhos, andar no meio da rua, ter relações sexuais desprotegidas com desconhecidos, gastar muito mais do que pode em compras ou pagando rodadas de bebida para conhecidos e desconhecidos; ficar muito envolvido com atividades prazerosas, como fazer sexo, com um tesão quase inesgotável, entrar de cabeça em um projeto, que pode ser mirabolante ou grandioso, em detrimento de outras áreas da vida e que, pelos excessos, acaba dando errado; exibir-se e contar vantagem, rir aos borbotões, caçoar dos outros, não perceber quando diz ou faz o que não deve, mostrar-se corajoso, metido e briguento demais, ficar noites sem dormir ou dormir poucas horas e recomeçar a mil no outro dia e assim por diante.

Existem várias histórias homéricas e trágicas de episódios maníacos. Podem durar de poucos dias a algumas semanas e geralmente terminam com um tratamento farmacológico eficaz, muitas vezes em uma unidade de internação psiquiátrica, ou com a passagem para o polo depressivo — é como se o estado maníaco levasse a um ponto em que a bateria foi tão exigida que acaba, "cai o disjuntor". Passam a vigorar nessa fase a apatia, a tristeza, o isolamento e o sono excessivo. Há também os episódios mistos, mistura de sintomas depressivos e maníacos. O humor é irritável e desagradável, ou muito oscilante, em vez de francamente eufórico ou deprimido.

Espanta o fato de cerca de 1% da população fazer parte deste grupo e mesmo assim o transtorno de humor bipolar do tipo I ser tão pouco falado em nossa sociedade, embora os surtos resultem em situações extremas. Não é incomum que os extremos de humor levem a grandes prejuízos pessoais, inclusive com risco de morte, seja por suicídio, no momento de depressão ou turbulência, ou por situações de exposição a grandes e variados riscos, na mania. Vale enfatizar que bipolares do tipo I também manifestam variações de humor mais leves, como a hipomania, em que as alterações são similares às da mania, mas mais brandas e com menos problemas e exageros, assim como depressões menores. Por fim, quando está estável, ou seja, com o humor normal, boa parte dos bipolares tem um temperamento intenso e "florido" (hipertímico), se for positivo e dinâmico na maior parte do tempo, ou ciclotímico, se houver flutuações ou oscilações entre os estados hipertímicos e hipotímico (mais parado e melancólico).

São elementares as razões pelas quais as pessoas com transtorno bipolar do tipo I frequentemente têm prejuízos significativos na evolução de suas vidas. Os episódios de humor podem durar de algumas semanas a meses e trazem sofrimento psíquico, prejuízo nas relações pessoais, estigmas, perdas financeiras, internações psiquiátricas, comportamentos de risco. Talvez o que mais atrapalhe seja o fato de a regularidade (necessária para que muitas áreas da vida funcionem) ser atingida. Infelizmente, apesar de muitas vezes serem pessoas com grande potencial, é regra negarem a doença, principalmente no início ou nos surtos. Não se engajam adequadamente

> Quanto mais cedo se aceita o transtorno e seu tratamento, menores são os prejuízos.

no tratamento até aprenderem com os tropeços e as quedas. Resultado: mais cedo ou mais tarde, voltam as avalanches do humor com todas as repercussões. Quanto antes a pessoa se der conta de que o tratamento (farmacológico e psicoterápico) é fundamental, maior a chance de seu potencial se traduzir em realizações. É comum um paciente levar muitos anos até aceitar o problema e se engajar no tratamento.

É compreensível que o modo de encarar o próprio transtorno seja influenciado pelo tipo de temperamento ou humor: o paciente minimiza os riscos da doença, assim como se arrisca em diversas outras situações, acreditando que no fim tudo vai dar certo, afinal, ele é uma pessoa especial. Infelizmente, o tempo insiste em provar que na maioria dos casos de bipolares do tipo I sem tratamento os prejuízos podem superar de longe as vantagens, enquanto o tratamento adequado pode neutralizar os problemas.

Histórias de bipolares do tipo I

Dois pacientes que manifestavam o estado maníaco na sua plenitude marcaram muito meu primeiro ano de psiquiatria. Um tinha 18 anos e foi internado por condutas de extremo risco. Ele julgava ser o diretor e o ator principal de um filme de aventura que acontecia 24 horas por dia, sendo filmado todo o tempo de lugares escondidos, ou seja, estava psicótico. Antes de ser trazido para a unidade de internação, tinha passado algumas horas surfando em cima de caminhões, em grandes "cenas de ação". Quando havia oportunidade, pulava de um caminhão para outro, como nos filmes em que lutas incríveis são travadas em cima de vagões de trem.

Tinha cabelos compridos, era bonito, absurdamente carismático e o êxtase que vivenciava era transbordante e contaminava outros pacientes e os funcionários. Ao encontrar uma médica-residente, dizia que ela seria a estrela principal de seu filme, olhando-a fixamente, com um sorriso vigarista e generoso. Com certa frequência, as residentes me relatavam coisas que ele tinha feito ou dito. Nenhuma conseguia esconder uma ponta de vaidade por ter sido escolhida a atriz principal do suposto filme. Finalmente, em uma reunião clínica entre todos os residentes acabou ficando claro, para frustração geral da ala feminina, que havia várias atrizes principais para o filme (e dezenas de filmes, aliás), entre médicas, enfermeiras, auxiliares e pacientes. Ele era uma mistura do protagonista de *Don Juan de Marco* (Johnny Depp) e da situação do filme *O show de Trumann* (Jim Carrey).

Sua evolução durante a internação não foi muito favorável. Respondeu pouco à combinação de medicação para a fase maníaca com sintomas psicóticos. Optamos por sessões de eletroconvulsoterapia, um procedimento reservado atualmente apenas para os casos refratários. Teve melhora significativa e recebeu alta. O acompanhamento ambulatorial começou bem, mas logo passou a ser mais errático — ele deixou de tomar a medicação como deveria, até largar o tratamento. Anos mais tarde, encontrei-o por acaso, quando passeava pela rua à noite com um amigo, francamente eufórico. Em outra ocasião, encontrei-o melhor, e ele me contou que já havia sido internado outras quatro vezes por episódios maníacos, sempre no verão. Ainda assim, não tomava os remédios como deveria, embora todos os anos, na primavera, começasse a achar que era hora de passar a tomar a medicação corretamente. Ainda levará um tempo até que consiga andar bem com os patins da bipolaridade.

O outro paciente tinha em torno de 45 anos e foi internado poucos dias após o início de um episódio maníaco. Havia cursado administração de empresas quando jovem, mas nunca conseguira exercer um trabalho por muito tempo. Internou-se com a convicção de que tinha descoberto a solução para a economia mundial. Durante o dia, escrevia páginas e páginas com jargões econômicos e esquemas. Era uma figura esguia, com um exuberante bigode, o dedo sempre em riste para ditar as verdades do mundo e do submundo. No auge da mania, sua arrogância e superioridade afastavam as pessoas, mas quando melhorava, revelava-se extremamente afetivo, generoso e bonachão.

Em uma ocasião, no estado de mania, foi a um bordel e se relacionou com quatro mulheres na mesma noite, pagou uísque "do bom" para o amigo que o acompanhava e para desconhecidos, apesar de estar com a conta zerada. Nesse estado, a sensação de intimidade com as pessoas se dava quase instantaneamente; os desconhecidos viravam amigos, com direito a abraços, tapinhas nas costas e beliscões na bochecha. É o humor permeando a lógica das ações e do comportamento.

7

IDENTIFICAÇÃO DO transtorno de humor

ALÉM DE DESENVOLVER A EMPATIA E A CONFIANÇA NA RELAÇÃO COM o paciente, a grande tarefa do profissional de saúde mental é fazer o diagnóstico correto. Atualmente, os critérios para diagnosticar transtornos psiquiátricos baseiam-se excessivamente nos sinais e sintomas aparentes. Para avaliação mais completa, deveriam ser analisados:

- sinais e sintomas;
- curso dos sintomas ou das manifestações do comportamento;
- temperamento e estilo;
- história familiar que avalie o componente genético como fator de risco (ou seja, um fato que aumenta as chances de algum evento acontecer);
- fatores de risco ambientais (como abuso e traumas na infância ou perdas recentes, no caso de depressão);
- resposta a fármacos (terapêuticos ou drogas de abuso, como o álcool);
- avaliação clínica geral e exames complementares (laboratoriais ou de imagem cerebral), quando indicado.

Se a avaliação for baseada somente nos sintomas, comumente o quadro dos bipolares leves será confundido com depressão pura (unipolar), déficit de atenção, hiperatividade, transtornos de ansiedade, distúrbios alimentares, abuso de drogas ou transtornos de personalidade, já que sintomas presentes nesses outros transtornos também podem se manifestar, de maneira igual ou semelhante, nos bipolares leves. É comum o paciente não ter a percepção clara dos sintomas de hipomania, achando que esses momentos são simplesmente de grande bem-estar. Nesses casos, quem informa melhor sobre esses sintomas é um familiar ou amigo próximo.

Atualmente fala-se muito em déficit de atenção e hiperatividade, que tem alguns sintomas parecidos com os de bipolaridade. Antes concebido como um transtorno quase exclusivo de crianças, hoje sabe-se que o déficit de atenção pode persistir até a vida adulta, enquanto a hiperatividade tende a diminuir com o tempo. Os sintomas começam a se manifestar antes dos sete anos: dificuldade de manter atenção em atividades e de prestar atenção em detalhes; dificuldade de seguir instruções, terminar tarefas e de se organizar; distração e perda de objetos. No caso da hiperatividade: inquietude com mãos e pés; dificuldade de permanecer sentado em situações que pressupõem tal conduta, dificuldade de esperar a vez e de brincar ou realizar atividades em silêncio; problemas de desempenho na escola ou no trabalho. A pessoa hiperativa também age como se fosse impulsionada por um motor; fala excessivamente, responde antes que a pergunta tenha sido concluída.

Vários desses sintomas podem estar presentes na bipolaridade. A diferenciação se faz por aqueles que não são do déficit de atenção e da hiperatividade, mas aparecem na linha bipolar na direção da mania: intenso envolvimento em atividades pontuais (sociais, afetivas, criativas e de trabalho), pensamento rápido, humor eufórico ou irritável, diminuição da necessidade de sono, autoestima elevada, grandiosidade, comportamentos que envolvem riscos. Basta que poucos desses sintomas tenham se manifestado por mais de um dia na vida da pessoa sem motivo aparente para sugerir a bipolaridade em vez de apenas déficit de atenção.

Quanto ao curso dos sintomas na bipolaridade espera-se o surgimento e/ou aumento destes durante a adolescência e a idade adulta, oscilando ao longo da vida. Podem até surgir na infância, mas não têm a tendência de melhorar ou estabilizar com o tempo, como no déficit de atenção. Outras características bem mais presentes na bipolaridade do que no déficit de atenção e na hiperatividade são sintomas depressivos ou de ansiedade (incluindo fobias), abuso de álcool, bom desempenho escolar e/ou profissional, temperamento buscador de novidades, personalidade expansiva ou dramática e história familiar de transtornos de humor. Por fim, a resposta aos remédios é francamente diferente: o metilfenidato (Ritalina®), um estimulante semelhante à anfetamina, melhora bastante os sintomas nos casos de déficit de atenção e hiperatividade, mas em bipolares pode induzir sintomas de mania, agitação e irritabilidade. No melhor dos casos, não causa danos, ao passo que os sintomas de desatenção e hiperatividade não melhoram ou só melhoram transitoriamente.

Os bipolares (principalmente os leves e cicladores ultrarrápidos, com oscilações de humor em horas ou dias) podem ser confundidos com pessoas com diagnóstico de transtorno de personalidade. Esses transtornos se referem principalmente a falhas no desenvolvimento do caráter, ou seja, os conceitos e valores adquiridos durante a vida. De maneira geral, pessoas com transtornos de personalidade não assumem responsabilidades sobre seus atos, são mais inertes e têm objetivos pouco definidos; têm menos recursos psicológicos para enfrentar situações mais complicadas e dificuldade de se aceitar como são.

Os tipos de transtorno de personalidade comumente atribuídos aos bipolares são personalidade narcisista, *borderline*, histriônica e antissocial. A bipolaridade e esses transtornos podem coexistir, e pode ser bastante útil abordar o paciente como bipolar, particularmente do ponto de vista do tratamento farmacológico. Já foi demonstrado que a busca por novidades é o principal elemento do temperamento, tanto nas pessoas com bipolaridade quanto naquelas com transtornos de personalidade, o que sugere que esses diagnósticos podem ser variações do mesmo espectro ou ao menos ter uma relação estreita. O que ajuda a identificar a bipolaridade disfarçada de transtorno de personalidade é observar o humor e a intensidade afetiva que caracteriza os bipolares, contagiante e envolvente (positiva ou negativamente), em vez da superficialidade emocional que não contagia ou da conduta manipuladora, como ocorre nos transtornos de personalidade mais puros.

Outro dado importante na diferenciação dos diagnósticos é a época da vida em que a pessoa começa a apresentar problemas ou sofrimento maior. Por exemplo, sintomas depressivos ou instabilidade de humor em uma mulher de 45 anos que até então vivia ao menos razoavelmente bem não devem ser atribuídos a um problema de personalidade, pois, nesse caso, a base já foi formada há três ou quatro décadas. Se o humor piora, há duas hipóteses: ou o ambiente se tornou mais hostil e difícil de algum modo, ou trata-se do curso natural de um transtorno de humor primário. Veja como os sintomas de cada transtorno de personalidade também podem ser compreendidos no espectro bipolar:

- Narcisista: grandiosidade; preocupação excessiva com sucesso, poder, beleza; tendência a se considerar especial; inveja dos outros ou ideia de que é alvo de inveja; atitudes arrogantes e expectativas positivas demais sobre si mesmo ou sobre os outros em relação a si. Segundo a visão psicodinâmica, o narcisismo seria a defesa de alguém que, no fundo, não gosta de si e por isso precisa estar sempre afirmando o seu valor.
- *Borderline*: medo de abandono e esforço para evitá-lo; relações instáveis e intensas que alternam extremos de idealização e desvalorização; autoimagem ou identidade instável; impulsividade em áreas como compras, sexo, abuso de drogas, estilo de dirigir, comida; instabilidade afetiva e grande reatividade do humor aos eventos externos; sensação de vazio (ou será a sensação de que está faltando algo decorrente do temperamento de busca de novidades?); dificuldade de controlar a raiva.
- Histriônica: mal-estar quando não é o centro das atenções; conduta sedutora ou provocativa; mudança rápida de emoções; aparência física usada para chamar a atenção; estilo de falar que transmite impressão emocional e carece de detalhes; expressão exagerada das emoções, teatralidade.
- Antissocial: inconformidade com as regras sociais; mentiras e trapaças para benefício ou prazer pessoal; impulsividade e dificuldade de planejamento; irritabilidade e agressividade; despreocupação com sua segurança e com a dos outros; irresponsabilidade no trabalho ou nas finanças.

Na história familiar, pode não bastar conhecer apenas as doenças e internações psiquiátricas e os suicídios. É importante ter ideia dos temperamentos e histórias pessoais dos familiares, até porque o próprio diagnóstico de bipolares leves das gerações anteriores não é reconhecido. Por exemplo, é comum haver na família de um bipolar pessoas que fizeram ou perderam fortunas, abusaram de drogas, tiveram amantes, desafiaram autoridades, foram presas e/ou pessoas carismáticas, agressivas, autoritárias, boêmias, competitivas, jogadoras, talentosas artisticamente, alternativas ou de temperamento forte.

A meu ver, na abordagem correta de pacientes com o perfil bipolar é fundamental avaliar os problemas e as queixas, mas também as vantagens e potencialidades relacionadas a esse perfil, que podem ser reforçadas e trabalhadas de modo mais adaptativo. Quanto ao tratamento, também se deve conversar sobre os resultados esperados e os remédios. Atualmente, abordar os remédios ficou mais fácil com bipolares leves, cujas alterações do humor naturalmente são menos destrutivas do que nos bipolares do tipo I, pela facilidade de uso, eficácia e tolerabilidade da lamotrigina, quetiapina, olanzapina e do topiramato. Além disso, é fundamental explorar os modos de adaptar as atividades às características do temperamento, tanto na área profissional como no lazer. Isso tudo pode parecer um tanto óbvio, mas nesses tempos de atendimentos-relâmpago, seja pelo sistema de saúde pública, seja pelos planos de saúde, não é demais enfatizar os benefícios de uma boa e sólida relação com o paciente, ainda mais com bipolares, que levam muito em consideração os laços afetivos.

Uma questão que se deve abordar, quando necessário, é: de quem é a culpa por uma pessoa ser bipolar, afinal? E a resposta começa com outra pergunta: será que existem culpados? Se o pai ou a mãe são bipolares, será que eles desejaram sê-lo e transmitir a suscetibilidade aos filhos? Alguém teve a chance de escolher sua altura ou a cor dos olhos? Em relação ao ambiente, alguém teria feito algo de propósito na criação de um filho para torná-lo mais suscetível à bipolaridade? Não creio. Porém, outra questão se impõe: será que se deve ter vergonha de ser bipolar, seja de que grau for? Alguém pediu para ter alteração de humor? O que poderia despertar algum grau de vergonha é se saber bipolar e não fazer nada a respeito ou interromper o tratamento e passar a ser um joguete do próprio transtorno de humor. Só para lembrar: basta um episódio de mania ou de depressão para pôr a perder o que se tem de reputação, de relações afetivas, de compromissos, de confiança, de dinheiro... Na depressão o que se perde é por não conseguir cumprir o que se deve fazer, mas as relações não são tão prejudicadas, porque as pessoas em torno tendem a ser empáticas e solidárias com a situação. Já na mania ou na hipomania, as quebras de limites e excessos são interpretados como da pessoa em si, e não da sua alteração do humor. Uma carreira ou uma relação afetiva construída ao longo de anos pode vir abaixo com um deslize que fira a conduta esperada. E o dinheiro guardado pode desaparecer em uma ação mal calculada em que só se via as oportunidades e recursos, sem levar em conta os riscos. Alguns pacientes desenvolvem um quadro depressivo após a mania em função das perdas que têm, mas, no caso, pode ser uma reação do humor compatível com as perdas, e não uma depressão de origem biológica.

8

COMO LIDAR com a bipolaridade

OS TRANSTORNOS DE HUMOR TÊM FORTE INFLUÊNCIA BIOLÓGICA E O tratamento farmacológico, em geral, tem bons resultados, mas a psicoterapia é uma aliada fundamental. O que se pretende com o tratamento é que o humor fique afinado. Essa palavra é até mais adequada do que "estabilizado", porque o humor é como um instrumento musical que deve responder no tom e no volume certo, com brilho. O psiquiatra, assim como outros profissionais da saúde mental, é, em essência, um afinador de instrumentos musicais, e cada instrumento tem suas peculiaridades.

O tratamento do transtorno de humor bipolar pode envolver abordagens em vários níveis, como:

- Psicoeducação: ajudar o paciente a saber o que é o transtorno de humor e as características do seu tipo de transtorno particular; aprender a identificar quando o humor está se alterando; aprender a potencializar e valorizar as características positivas do próprio temperamento; entender a necessidade do tratamento, suas vantagens e desvantagens; procurar não ter um padrão de sono muito irregular. Também é fundamental entender a reatividade do humor, em que, numa fase depressiva, a ênfase e o esforço devam ser para começar a fazer alguma coisa, como sair para passear, ir ao supermercado, telefonar para alguém etc., pois logo o humor começa a reagir e se torna bem melhor. É como um carro que está sem a primeira marcha. Custa para arrancar e força o motor, mas depois segue bem.

- Psicoterapia: depende bastante de cada paciente, mas, em geral, busca identificar padrões de pensamentos disfuncionais (armadilhas do pensamento), achar o meio-termo, controlar a impulsividade, apontar formas mais adaptativas de se relacionar e conscientizar as razões e significados de alguns comportamentos, pensamentos e sentimentos. Do ponto de vista das relações pessoais, atenuar o modo exagerado e agressivo de criticar os outros pode ter um retorno importante, diminuindo a sensação de "amor e ódio" eventualmente gerada. A psicoterapia pode ser importante para avaliar até que ponto as atividades praticadas e o estilo de vida adotado estão adequados ao temperamento, e também para identificar o que pode ser melhorado, de modo gradual e estratégico, ponderando os riscos e desenvolvendo a tolerância.
- Farmacoterapia: os remédios são aliados importantes no tratamento (assim como na prevenção) de episódios de depressão e mania. A principal classe de remédios usados é chamada de estabilizador de humor. Eles também tratam os sintomas de ansiedade, irritabilidade e impulsividade, ajudando no restabelecimento do bem-estar geral e da regularidade da vida do paciente. Não causam dependência de qualquer espécie, mas, como a maioria dos tratamentos existentes para condições crônicas, funcionam somente enquanto estão sendo tomados.

Muitas vezes, o paciente resiste em iniciar o tratamento com remédios pelo temor de ficar dependente deles a vida toda. Ora, dependemos de muitas coisas na vida diária, por exemplo, de sabonete, escova e pasta de dentes. E ninguém reclama que "depende" deles exatamente por pensar no bem que trazem.

Também podemos ver o remédio pelo lado bom em vez de achar que ele nos lembra que temos um problema ou ficar reclamando de seus possíveis efeitos colaterais. Muitas pessoas estão dispostas a usar produtos caros para fins estéticos (cosméticos, remédios para a calvície) e não parecem incomodadas com isso. O cerne da questão está no fato de que a maioria das pessoas não precisa tomar esses remédios, o que tornaria "diferente" quem os toma. Aqui entra a escolha central: ser diferente por tomar um remédio que ajusta o humor (o que as pessoas não precisam saber) ou ser diferente por ter o humor desregulado (o que as pessoas notam e pode atrapalhar diversas áreas da vida). Por fim, ainda existe o preconceito com remédios psiquiátricos, como se o cérebro e suas funções não tivessem o direito de apresentar problemas. Tomar remédio para o cérebro, em essência, é igual a tomar remédio para o coração ou para a tireoide, ou, abrindo um pouco o leque, tomar pílula anticoncepcional ou até usar óculos! É uma estratégia que usamos a fim de modificar algo no nosso corpo para que nos traga mais vantagens do que desvantagens.

> É melhor ser diferente dos outros por fazer um tratamento do que por estar doente.

Dentro desse conceito, o que deveríamos questionar são as drogas de abuso, principalmente a nicotina. Todos sabem que cigarro faz um mal danado, mas seu uso é justificado pelo prazer e pela dependência ("não se tem controle") — e fumar é tão comum que não é "diferente". Quanto aos efeitos colaterais, uma boa comparação é o álcool: nenhum remédio seria aprovado para uso clínico em humanos se causasse a descoordenação, a sedação e as alterações de reflexos e memória que o álcool provoca, mas isso raramente é mencionado, e as bebidas estão à venda em qualquer supermercado ou boteco, sem receita médica! Remédios passam por criteriosas avaliações clínicas e laboratoriais para garantir que apenas aqueles que geram mais benefícios do que problemas entrem no mercado. Isso não significa que sejam isentos de efeitos colaterais: se um remédio apresenta um efeito tóxico grave, mesmo que raro, é retirado do mercado. Em resumo, o que importa é compreender os remédios (e as drogas em geral) como eles realmente são e não adotar versões fantasiosas ou preconceituosas.

- Abordagem familiar: é importante que a família conheça as implicações e os cuidados exigidos pelos transtornos de humor. E também que entenda o *pedigree* familiar e permita a identificação precoce de novos casos na família. Algumas famílias com fortes traços do espectro bipolar são muito intensas, intrusivas e agressivas nas relações pessoais, podendo se beneficiar enormemente com uma terapia de família. Duas situações comuns são o apego exagerado (dependência afetiva) de um filho a um dos pais ou vice-versa e o conflito entre pais invasivos demais e filhos independentes demais.
- Grupos de bipolares: felizmente tem crescido o hábito de pessoas que compartilham alguma característica se encontrarem para discutir suas questões. Isso pode ocorrer em uma terapia de grupo ou em organizações de pacientes bipolares, por exemplo, com

benefícios claros e importantes. É muito válido saber que outras pessoas passam por situações parecidas, assim como trocar experiências, compartilhar formas de solucionar problemas e explorar qualidades. Ao mesmo tempo, ganha-se muito em apoio afetivo e social.

A internação hospitalar fica reservada para situações de risco de agressão, suicídio ou exposição moral, e não deve ser vista como um mal em si. Ruim é alguém perder o emprego, o prestígio, os amigos ou a própria vida porque está com o humor muito alterado e não tomou a atitude devida. Uma opção intermediária é a internação domiciliar: manter alguém na permanente vigilância do paciente na fase mais crítica.

Psicoterapia

Comecemos pelo princípio fundamental: só evolui psicologicamente quem consegue perceber que, pelo menos em parte, é responsável por seus próprios problemas. Quem acha que suas qualidades produzem tudo o que dá certo e os outros são a causa de tudo o que dá errado está fadado à estagnação psicológica. Tampouco deve-se cair no extremo oposto: todo erro é culpa sua e todo acerto é fruto da "sorte". Conceber-se responsável pelo próprio destino é a melhor forma de exercer algum controle sobre ele, em vez de ficar à deriva esperando os fatos se sucederem. Esse processo de auto-observação contínua possibilita explorar melhor as qualidades e os talentos e, ao mesmo tempo, leva em conta as limitações que podem ser desenvolvidas e trabalhadas. Sabendo-se que o humor afeta dramaticamente a razão, outro princípio importante é o de que grandes decisões devem ser evitadas nos períodos de humor alterado, pois elas tendem a ser bem mais sensatas na fase de humor normal e centrado.

Como lidar com as armadilhas do pensamento

Muitas pessoas do espectro bipolar expressam fortemente o jeito de pensar do tipo "8 ou 80", ou seja, de extremos. Alguns têm até certo orgulho em dizer que para eles "ou é ou não é" com ênfase e drama. O temperamento intenso faz com que tendam a amplificar as emoções e sentimentos. Isso os leva a aproveitar os momentos bons de maneira intensa e vibrante, e essa vivência emocional e visceral pode trazer mais vantagens do que desvantagens. O problema é quando uma situação desagradável é experimentada como uma verdadeira tragédia. Nessas horas, a melhor estratégia é buscar a moderação, o meio-termo, a maior racionalidade possível e prestar atenção nos pensamentos suscitados naquele momento.

Assim como vimos que o humor e as emoções influenciam a razão e os pensamentos, o contrário também ocorre, ou seja, a via entre emoção e razão é de mão dupla. *É importante reconhecer que muitos de nossos sentimentos e comportamentos são decorrentes de nossos pensamentos.* Esse é um princípio que norteia a técnica da psicoterapia cognitivo-comportamental, criada por Aaron Beck. Assim, ao identificar as armadilhas e distorções do pensamento, temos a chance de remodelá-lo, o que nos faz sentir melhor. Outro princípio indica que, para serem considerados saudáveis, os pensamentos devem preencher dois critérios: validade e utilidade.

Por validade entenda-se o pensamento mais próximo possível da verdade e da realidade, comumente distorcidas na avaliação da quantidade (ou gravidade) e frequência. Por exemplo, se após ter executado uma tarefa ou realizado uma prova em que o resultado foi mediano o pensamento for algo do tipo "eu sempre faço tudo errado, sou um desastre mesmo", a sensação de tristeza e frustração será proporcional ao drama da frase e não à situação real. Carregados, taxativos e absolutistas, esses são pensamentos automáticos e distorcidos, o que significa dizer que brotam por impulso, sem ter passado por um julgamento realista, ponderado e relativo da situação. As distorções ou armadilhas mais comuns dos pensamentos automáticos são:

- Pensamento tudo ou nada (8 ou 80): quando algo não foi 100% bem — em vez de ser 95% ou 75% ou 60% bem, é avaliado como uma droga, uma falha total, expressa em frases como "estraguei tudo", "estou completamente perdido". As palavras tudo, nada, totalmente, completamente são características desse tipo de armadilha. Para corrigi-la, deve-se dimensionar e relativizar a situação, em vez de achar que existem apenas duas categorias extremas, como ótimo/péssimo, lindo/horroroso, certo/errado. *Categorias e dimensões são diferentes e confundir uma com outra é um erro*. Por exemplo: a televisão só pode estar ligada ou desligada (categorias), não há meio-termo; o som, no entanto, pode estar em volume baixo, médio, alto, estourando etc., ou seja, encaixa-se em dimensões diversas. O equívoco comum é guiar-se por categorias, quando na maior parte das vezes trata-se de graduações. Se der para responder à pergunta "quanto?", significa que é uma dimensão e não uma categoria.
- Generalização exagerada: aqui o erro é na dimensão do tempo. Um evento único ou ocasional é concebido como uma regra fatídica, como em frases do tipo "eu sempre me atraso", "eu nunca me controlo", "sempre sobra para mim", o que na verdade pode não ser bem assim. As palavras sempre e nunca caracterizam essa distorção, que pode ser corrigida avaliando-se a frequência exata com que

os eventos ocorrem, contabilizando, sobretudo, as situações que poderiam ter ocorrido negativamente, mas não ocorreram.

- Desvalorização do positivo/valorização do negativo: pensar que experiências ou resultados positivos não contam se houver algum detalhe que não funcionou, ou achar que os acertos não contam porque "não são mais do que a obrigação", enquanto os erros são sinônimo de uma incompetência que os outros não teriam. É frequente em relação à autoimagem: o que é de valor não conta, mas os defeitos sim.
- Conclusões precipitadas: antes de ter elementos ou evidências suficientes para tirar conclusões, automaticamente prevê-se o que vai acontecer, em geral com um desfecho desfavorável para si mesmo. Pode ocorrer, como leitura mental, a suposição de conseguir saber exatamente o que o outro pensa ("ele está me achando ridículo", quando a pessoa nem expressou sua opinião), ou como previsão "oracular" ("isso não vai dar certo", quando está apenas começando).
- "Tem que", "tinha que", "deveria": conceber como obrigação ou ordem algo que seria bom ou poderia ter sido feito. Serve para si mesmo ("eu deveria ter me dado conta de que isso iria acontecer") ou para os outros ("você tem que se acalmar" ou "*você tem que deixar de ser tão teimoso*"). As outras pessoas podem não estar dispostas a receber ordens. A sensação desagradável gerada por essa última frase seria minimizada se fosse dito "às vezes a gente se desentende e seria melhor se cada um cedesse um pouco", em que a pessoa se inclui na situação (*a gente* em vez de *você*) e insere expressões de sugestão (*seria melhor* ou *quem sabe* em vez de *tem que*) e de dimensão (*pouco* ou *melhor* em vez de *tão*).

- Rotulação: em vez de conceber uma situação como pontual e circunscrita, a pessoa rotula a si mesma ou aos outros negativamente, como em "eu sou um otário", por ter se equivocado em alguma situação, ou "você é uma chata", quando alguém fez algo que lhe desagradou. Dizer "me enganei" ou "você está me incomodando" ou ainda "você poderia parar de fazer isso?" é mais realista e produtivo, deprime e ofende muito menos, e tem bem mais chances de resolver a situação sem causar sentimentos ruins duradouros.
- "Tudo eu" ou "tudo os outros": em vez de entender as situações como complexas e influenciadas por vários fatores, a pessoa impulsivamente acha que a culpa foi só sua ou só dos outros. Por exemplo, um casal conversa enquanto o homem conserta algo. Ele se fere com a ferramenta e a mulher diz "perdão, desconcentrei você, sou um desastre mesmo... ", tomando para si a culpa da situação. Ou ele diz "você não vê que está atrapalhando?", como se a culpa fosse só dela.

Para poder corrigir essas armadilhas do pensamento, que geram sentimentos e emoções desagradáveis e negativas, pode-se usar a seguinte estratégia nos momentos de ansiedade, raiva ou tristeza:

- Primeira fase: identificação dos pensamentos automáticos

A primeira coisa a fazer é pensar na palavra mágica: "perdão!". Isso permite mudar o pensamento automático e emocional para a avaliação racional e ponderada, isto é, começa-se a pensar e julgar de fato. Para identificar o pensamento automático, deve-se perguntar a si mesmo: "O que eu estava pensando naquele momento?". Geralmente são uma ou duas frases curtas que definem a situação, como nos exemplos anteriores.

- Segunda fase: julgamento e ponderação

O pensamento vai para o banco dos réus, e os promotores e advogados apresentam suas provas para incriminar ou absolver o pensamento. São avaliadas as provas e evidências que sustentam o pensamento automático. Em primeiro lugar, deve-se questionar a lógica (ou validade) do pensamento. Isso geralmente nos leva a perceber que "não era bem assim", e já começamos a nos sentir melhor. Uma primeira estratégia seria analisar se o pensamento contém palavras que indicam extremos e generalizações, como tudo/nada, sempre/nunca, todos/nenhum, todos/ninguém, somente, super, muito, mesmo. "Eu sempre faço tudo errado mesmo", por exemplo, inclui as palavras sempre, tudo e mesmo. Pois bem, é sempre que faço tudo errado mesmo? Ou seria mais realista dizer que de vez em quando faço algumas coisas erradas? A segunda estratégia é procurar outras palavras trágicas ou taxativas demais: não seria mais realista dizer que em vez de errado o que eu fiz foi parcialmente errado, ou não totalmente certo, ou que poderia ter sido melhor? Tirar nota 6 em uma prova é igual a tirar 0 ou 2? Essa situação, que agora percebo não ser tão trágica assim, me permite mesmo concluir que sou um desastre? Eu já me saí melhor em outras situações como essa? Já fiz coisas que deram certo?

Corrigir as armadilhas e as distorções do pensamento ajuda a melhorar o humor.

Continuando o julgamento, podemos fazer perguntas mais amplas e relativistas, como: há outro modo de interpretar a situação? Há outros fatos atenuantes para o que ocorreu? Por exemplo, meu desempenho pode ter sido prejudicado porque passei a noite cuidando do meu filho doente ou porque tinha que atender a outras prioridades? Se, de fato, o que aconteceu foi ruim, há como superar ou melhorar isso? Esse tipo de pergunta situa melhor o pensamento no tempo, ou seja, nos faz ver que mesmo os momentos ruins são passageiros e contornáveis. Outra pergunta interessante: o que eu diria a um amigo se ele estivesse no meu lugar? Em geral, os comentários e as avaliações de quem está de fora são mais ponderados e razoáveis, e esse tipo de pergunta faz com que nos afastemos um pouco do problema para enxergá-lo melhor. Por fim, pense: como posso avaliar meu desempenho comparado ao das outras pessoas? E se a melhor nota da turma foi 7 e minha nota 6 foi a terceira melhor, será que foi uma nota ruim, de fato? Esse tipo de questionamento direciona um pensamento absolutista para outro relativista (e tudo é relativo...).

- Terceira fase: conclusão (veredito)

Após essas considerações, a que conclusão chegamos? Na maioria das vezes, a frase inicial "eu sempre faço tudo errado, sou um desastre mesmo", extremista, generalizadora e rotuladora, pode ser substituída por algo mais pontual e ponderado, do tipo "é, já me saí melhor, mas se me dedicar mais posso recuperar", ou algo mais relativo, do tipo "na situação em que eu estava, seria difícil fazer melhor".

- Fase final: resultado

Ao substituir pensamentos distorcidos e exagerados por outros mais realistas e ponderados, ocorre rapidamente uma melhora dos sentimentos e emoções. O objetivo aqui é evidenciar a relação entre o modo como pensamos e a intensidade das nossas emoções e sentimentos. Como teste, pense por um momento na frase "eu sempre faço tudo errado, sou um desastre mesmo" como se fosse sua e perceba que sensações ela lhe traz. Agora, substitua por "é, já me saí melhor, mas se eu me dedicar mais posso recuperar". Melhor, não? E que tal "na situação em que eu estava, seria difícil fazer melhor"?

Esse tipo de abordagem — parar para pensar verdadeiramente e avaliar a situação de um modo mais ponderado e abrangente, pesando evidências a favor e contra — visa despertar para o fato de que os riscos não são tão grandes e que temos mais recursos do que pensamos. Aplica-se às mais variadas situações:

- Fobias: no caso de fobia de elevador, por exemplo, o pensamento pode ser do tipo "se eu entrar, o elevador vai trancar, vou ficar preso e sufocar". Será mesmo? Qual é a real ameaça: a chance de ficar preso é de 1 em 10 ou 1 em 10.000? E ficar preso significa sufocar? Será que conheço a história de alguém que morreu sufocado em um elevador? Seria eu o primeiro? O mais provável não é que o problema logo se resolva e eu possa sair?
- Ataques de pânico: são situações em que uma pequena preocupação — "estou tremendo" ou "minhas mãos estão suando" ou "estou sentindo o coração bater mais forte" — escalona em poucos minutos para um violento ataque de ansiedade com falta de ar, náuseas, tremor, suor, palpitações, desconforto no peito, tonturas, formigamentos, calorões, sensações de irrealidade, medo de morrer ou de enlouquecer. Em geral, não ocorrem todos os sintomas, mas ao menos cinco deles. Depois, a pessoa acaba em um serviço de emergência médica, achando que está tendo um infarto ou outra doença grave. Essas situações decorrem de pensamentos distorcidos: a preocupação excessiva, sem grandes evidências de que algo está realmente errado, gera ansiedade (com tremor, falta de ar e suor, por exemplo) que, por sua vez, agrava os pensamentos e assim vai, em um intenso ciclo vicioso.

Dois macetes em um: quando começar a sentir que pode ter um ataque de pânico, conte lentamente 1, 2, 3 enquanto inspira pelo nariz, e 4, 5, 6 enquanto expira pela boca. Mas a respiração não pode inflar o peito (isso gera ansiedade), e sim o abdômen. Quem deve trabalhar é o diafragma, músculo que funciona como um fole entre tórax e abdômen. É a chamada respiração abdominal e vale a pena treiná-la para que seja sempre assim. Repare: quando atores representam cenas de ansiedade fazem uma respiração ofegante pela boca, inflando o peito, em vez de respirar pelo nariz inflando o abdômen. E qual o objetivo de contar até seis? Desviar os pensamentos distorcidos, que podem ser reavaliados e reformulados mais tarde. Assim, age-se simultaneamente no corpo e na mente e quebra-se o ciclo vicioso pelos dois lados.

- Obsessões e compulsões: são pensamentos como "se não lavar as mãos, vou me contaminar". Está bem, mas lavá-las 50 vezes em uma tarde sem ter tocado em nada será mais eficaz do que dez ou cinco ou apenas uma vez? Será que, por outro lado, isso não prejudica a pele, deixando-a mais vulnerável a infecções? Afinal, por que isso aconteceria comigo se não vejo acontecer com os outros, que sei que lavam as mãos só de vez em quando?
- Ciúme patológico: um atraso significa necessariamente uma traição? Existem evidências palpáveis de que isso possa estar acontecendo? E existem razões para eu pensar que o relacionamento não está bem? Será que não há outro motivo para o atraso? Será que sei mesmo o que o outro está pensando (que não gosta mais de mim ou se interessa por outra pessoa)? Essa armadilha do pensamento é a chamada leitura mental, em que se confia demais na capacidade de adivinhar o que o outro está pensando.

- Impulsividade: em uma loja, um pensamento do tipo "esta bolsa é maravilhosa, é tudo que eu sonhava!". É tão maravilhosa assim? Já não tenho outras tão maravilhosas quanto esta? Eu sonho mesmo com uma bolsa como esta? Em momentos como esse, em que acabei comprando sem pensar, eu de fato usei bastante o que comprei? Mudou alguma coisa na minha vida? Será a melhor maneira de usar o dinheiro ou haveria outras prioridades? "
- Abuso de drogas: "Só esta cervejinha não vai ter problema". Será? Houve situações semelhantes em que começar a beber deu problemas? Se sim, o que me faz pensar que não há riscos dessa vez?
- Pensamentos paranoicos: pensamentos como "estão armando alguma para me ferrar" podem ser reavaliados. Tenho razões concretas para desconfiar dos outros? Existem evidências de que eles são confiáveis? Se tentarem me prejudicar, será que não saberei me defender?
- Percepções da própria imagem: em mulheres, a preocupação com o peso, as formas do corpo e a beleza pode levar a distorções e exageros. Uma estratégia eficaz é comparar as próprias impressões com os comentários de outras pessoas. Se as pessoas elogiam minha aparência, teriam alguma razão para não serem sinceras? Se não comentam nada, significa que estão achando algo errado? Como está minha aparência ou meu peso em relação às pessoas com quem convivo? Peraí, a aparência é tão importante assim? E o resto, não conta? A tendência é desvalorizar os atributos que se tem e supervalorizar os que não tem. Homens cada vez mais sofrem de problemas semelhantes, mas a avaliação distorcida é no sentido de se sentirem franzinos demais, mesmo fazendo muita musculação, e não é raro passarem dos limites (pelo menos para quem vê de fora), utilizando anabolizantes.

Em geral, existe algum fundo de verdade nos pensamentos distorcidos, mas é bem no fundinho... As armadilhas do pensamento são capazes de amplificar ou distorcer os fatos. Em outras situações, os pensamentos estão corretos, refletem a realidade de maneira precisa, provável e relativa, mas não contemplam o critério da utilidade. Um bom exemplo: estou atrasado, retido no trânsito e não tenho muito o que fazer. Pensamentos como "estou superatrasado, vão me achar um grande irresponsável! Se o chefe souber, vou me ferrar!" podem ser reavaliados para aparar os excessos (super, grande, vou me ferrar). De fato, estar atrasado não é bom, no entanto, pensar fixamente no assunto vai fazer com que eu chegue mais rápido ou com que os outros não se importem? Será que não é mais útil ligar avisando que chegarei atrasado? Se for possível, melhor: fiz o que podia ser feito. Se não der, pena! Quando chegar, se for necessário, explico e me desculpo. Ponto final! Hora de aumentar o som e pensar em outras coisas.

Podemos usar essa estratégia de ponderação sobre a validade e a utilidade dos nossos pensamentos para responder à pergunta: "Afinal, quem sou eu?". A resposta pode revelar crenças centrais distorcidas, como: "Eu não sou confiável" ou "eu sou diferente", que também podem ser corrigidas no "tribunal" de análise das evidências que vão contra ou a favor dessas crenças.

Nas situações realmente difíceis, é importante passar rapidamente para a fase de resolução em vez de ficar mergulhado no problema em si e em seus dramas. Começar a pensar nas soluções por si só reduz a sensação de impotência. Mas deve-se observar que momentos de cabeça quente não são favoráveis para isso, porque as decisões e os planos de solucionar o problema a fundo são muito mais emocionais do que racionais. Outra atitude conveniente é priorizar o que há de mais importante ou o que pode ser feito logo.

No caso de fobias, obsessões e compulsões, não basta apenas pensar diferente: é preciso agir diferente. Aqui entra a necessidade de começar a aplicar na prática algumas mudanças e testar se o pensamento está correto. A regra básica é começar a mudar o comportamento de maneira gradual e controlada. Recomenda-se fazer uma lista de dez questões relacionadas ao problema, começando pela mais simples e fácil. Só se avança para o passo seguinte quando for superada a ansiedade do anterior.

No exemplo do elevador, a pessoa pode definir como primeira tarefa apenas entrar num elevador parado. A segunda fase seria escolher um elevador que considere seguro e subir ou descer, acompanhado, apenas um andar. O terceiro passo seria fazê-lo sozinho, com alguém do lado de fora. Depois subir dois andares. Depois, fazer o mesmo em outro elevador, e assim por diante, para que a realização das tarefas combinada ao trabalho com os pensamentos reduza gradualmente o medo associado ao elevador, até não atrapalhar mais. Para a pessoa com fobia, que tem uma percepção amplificada dos riscos e subestimada dos recursos, a impressão é de tratar-se de uma meta inatingível. Por isso, é fundamental que cada pequeno passo seja gerador de uma ansiedade leve e superável. As fobias são bastante comuns, mas pouco diagnosticadas e pouco tratadas, e que podem ter um impacto negativo enorme na vida das pessoas. Por outro lado, são um problema cuja solução (cura) é relativamente simples.

Devo dizer que a famosa regra de pensar negativamente para estar preparado para o pior me parece uma grande besteira! Pensar ou prever coisas negativas nos deixa congelados e só é bom em certa dose nas situações de grande risco real. Por exemplo, uma situação-limite: diante de alterações mínimas do quadro de um paciente, o médico de um centro de terapia intensiva deve logo desconfiar de algo mais grave e agir rapidamente, pedindo novos exames ou alterando o tratamento. O operador de voo de um aeroporto não deve ficar esperando para ver no que vai dar se um avião sai da rota prevista. No entanto, no nosso dia a dia, é raro que isso aconteça — e, se algo de fato pode dar errado, é mais útil planejar e executar uma ação preventiva do que ficar parado pensando nos problemas.

As estratégias psicológicas, sejam quais forem, podem não dar conta do recado. Considerando-se a energia estocada e latente, várias outras estratégias podem ser eficazes para o bem-estar, como fazer exercícios ou esportes, ter um hobby, sair para dançar, fazer festa com os amigos ou com a família, brincar com o cachorro, ou seja, adequar as atividades diárias ao temperamento, explorar as qualidades e facilidades inatas. Algumas vezes, a pessoa pode chegar até a mudar de profissão.

Vale destacar que o humor dos bipolares também pode, e deve, variar de acordo com as circunstâncias, como em qualquer pessoa. Isso é um humor afinado e, infelizmente, alguns familiares aproveitam o diagnóstico para vencer uma discussão, por exemplo, dizendo que a pessoa está em surto quando, na verdade, está reagindo adequadamente a alguma situação.

Por fim, em um aspecto a rotina é muito bem-vinda: o sono. Períodos prolongados sem sono podem ser grandes desreguladores do humor. Além disso, qualquer alteração do padrão de sono, tanto falta como excesso, pode ser o primeiro sinal de que o humor está se desestabilizando. Se houver diminuição da necessidade de sono, por exemplo, pode ser indicado ter à mão um remédio para dormir. Outras estratégias de curto prazo e emprego imediato podem ser combinadas com o médico psiquiatra à medida que a pessoa vai conhecendo o próprio humor e as medicações, para evitar atrasos potencialmente prejudiciais.

Resumindo: para as coisas boas, ser exagerado e emocional pode ser vantajoso e trazer felicidade e bem-estar. Para as situações ruins e difíceis, é melhor ser ponderado, racional, e mudar o mais rápido possível para o pensamento de solução do problema — além de ter um pouco de paciência e otimismo, porque, afinal, as coisas ruins também passam.

Como lapidar a personalidade

Como já foi comentado, a estrutura da personalidade envolve o temperamento, que é nossa natureza no plano emocional, e o caráter, que corresponde às nossas concepções sobre nós mesmos e sobre os outros, desenvolvidas a partir do modo como assimilamos e interpretamos nossas experiências. A instabilidade do humor pode afetar tanto o tipo de experiência vivida quanto sua interpretação. Um exemplo do efeito da alternância do humor é, ao ser convidada para uma festa, a pessoa aceitar e adorar a ideia; alguns dias depois, não ter mais vontade nenhuma de ir, e recusar o convite. Essa situação atrapalha o reconhecimento da própria identidade, pois a pessoa não pode prever como vai se sentir ou reagir no dia ou na semana seguinte. Da mesma forma, os outros não sabem como lidar com essa instabilidade e, por isso, é comum se afastarem ou manterem uma relação superficial. Nesses casos, o tratamento eficaz do transtorno de humor pode, no médio e longo prazos, ajudar a consolidar a identidade e aprofundar as relações afetivas significativas.

O desenvolvimento de uma personalidade mais madura e adaptada passa pela expressão de características naturais do temperamento de modo mais positivo e pelo trabalho de aspectos do caráter. Quanto aos temperamentos, *a meta é buscar manifestar predominantemente os aspectos positivos e atenuar os negativos*. O Quadro 8.1 mostra as vantagens e desvantagens da expressão forte de cada um dos temperamentos.

Quadro 8.1 Aspectos positivos e negativos dos temperamentos

Tipo de temperamento	Aspectos positivos	Aspectos negativos
Busca de novidades	Entusiasmo, valorização da liberdade, iniciativa, otimismo, autoconfiança, condução das situações com jeito e carisma	Explosividade, quebra de regras e limites, riscos desnecessários, arrogância, autoritarismo
Evitação de dano e perigo	Cautela, cuidado, planejamento	Medo exagerado, ansiedade, derrotismo, timidez
Necessidade de contato e aprovação social	Empatia, comunicação, busca de harmonia social, apego	Tendência a deixar-se influenciar excessivamente pelos outros, desejo de "não querer incomodar"
Persistência	Conquista, tolerância, paciência, perfeccionismo produtivo, aumento de controle	Teimosia, preocupação excessiva com detalhes, rigidez, necessidade de controle absoluto

Da mesma forma, a expressão sutil de cada um desses temperamentos também nos caracteriza e pode ser adaptativa de acordo com as circunstâncias, como a reflexão e a ponderação no caso de pouca busca de novidades; a extroversão, o otimismo e a ousadia com a pouca evitação de risco; a independência e o sangue-frio da baixa necessidade de contato social e o pragmatismo e a falta de necessidade de controle com a pouca persistência. Reconhecer as condições e os momentos em que nossas características nos trazem vantagens é mais produtivo do que querer mudar nosso temperamento. A experiência é enriquecedora psicologicamente, tanto por permitir explorar melhor os talentos naturais como por atenuar a repercussão das deficiências, que podem ser lentamente trabalhadas.

O caráter pode ser dividido pelo modo como a pessoa se concebe em relação a si mesma, em relação aos outros e em relação ao mundo. Em relação a si mesmo, o caráter bem desenvolvido e maduro segue o princípio do autodirecionamento, que começa por conceber-se responsável pelo próprio destino. Depois, ao estabelecer metas e objetivos factíveis, a pessoa se esforça em desenvolver as ferramentas e virtudes para atingi-los. Manter esse ciclo virtuoso faz com que a personalidade continue sendo constantemente aprimorada. Veja o Quadro 8.2.

Quadro 8.2 Autodirecionamento maduro e imaturo

Maduro e adaptativo	Imaturo e desadaptativo
Assume responsabilidades pelos resultados, sem desmerecer as circunstâncias	Culpa os outros ou culpa-se demais sem avaliar a complexidade das circunstâncias
Tem objetivos e metas	Não vê sentido no que faz na vida
Acredita nos seus recursos psicológicos, encara dificuldades como desafios e oportunidades	Inerte, não busca desenvolver seus recursos e não se expõe a situações desafiadoras ou instigantes
Aceita suas limitações	Quer ser diferente ou "o mais" em algum ou vários aspectos, vive de fantasias

(*Continua*)

(*Continuação*)

Maduro e adaptativo	Imaturo e desadaptativo
Percebe suas emoções	Não presta atenção no que está sentindo
Otimismo e esperança que levam ao planejamento e à ação; eventos ruins são percebidos como específicos, pontuais e passageiros	Pessimismo e desesperança que levam à passividade; eventos ruins são percebidos como duradouros, gerais e intransponíveis
Satisfação pessoal vem de conquistas duradouras, envolvimentos reais e brincadeiras	Satisfação vem de excitação passageira, como riscos, drogas, excessos em comida e sexo, vingança
Pensamento orientado mais para o futuro e para a solução de eventuais problemas	Pensamento orientado mais para o passado e com foco nos problemas em si
Repertório amplo de recursos para a solução de problemas	Restrição do repertório para a solução de problemas

Em relação aos outros, a evolução do caráter segue o princípio da cooperatividade (veja o Quadro 8.3).

Quadro 8.3 Cooperatividade madura e imatura

Maduro e adaptativo	Imaturo e desadaptativo
Aceita as pessoas como elas são, inclusive com suas diferenças, aceita críticas	É intolerante e impõe o seu estilo aos outros, não aceita críticas
Busca identificar as emoções e reações alheias	Não presta atenção nas reações emocionais alheias
Coloca-se no lugar das pessoas para entendê-las e reagir adequadamente	Não se importa com o sentimento dos outros, age de maneira independente
Ajuda os outros espontaneamente	Evita ajudar os outros ou atrapalha propositadamente
Busca o entrosamento em situações de conflito	Quer sempre ficar por cima, dominar
Excerce o princípio da igualdade	Tenta levar vantagem em tudo
Admira as virtudes alheias e vibra com as conquistas dos outros	Inveja as virtudes alheias e vibra com as derrotas dos outros
Enfatiza as relações afetivas como fonte de bem-estar	Enfatiza os bens materiais como fonte de bem-estar

No patamar do caráter da pessoa em relação ao mundo, a evolução está em atentar para a singularidade das coisas e para a magia de certos momentos; em respeitar o ambiente e a natureza e buscar uma filosofia para conceber um mundo que transcenda a si próprio. Neste ponto, a fé e a espiritualidade podem ser favoráveis e gerar um grande bem-estar, além de fazer com que as pessoas busquem melhorar não só a própria vida, mas também a comunidade e o mundo, por menor que seja sua participação.

Algumas pessoas sofrem certa tensão entre o temperamento que têm e os valores e modelos incorporados durante o desenvolvimento desse temperamento, que influenciaram seu caráter. Em geral, a tensão opõe temperamentos mais extrovertidos e exploradores a padrões impostos de obediência, hierarquia, regularidade e contenção dos impulsos. Parece-me bem mais produtivo mudar esses padrões do que brigar com a natureza do temperamento, embora isso possa frustrar expectativas, principalmente em famílias ou sociedades mais rígidas. Pode acontecer, por exemplo, de um filho herdar o temperamento de busca de novidades da mãe e entrar em conflito com o pai persistente e evitador de risco. São perspectivas diferentes de encarar a vida, mas o filho pode incorporar também valores que são importantes para o pai e não naturais a seu próprio temperamento.

Quanto mais a concepção que temos de nós mesmos e dos outros refletir a realidade, melhor, mas pode ser vantajoso manter uma visão do mundo otimista e confiante. Quando nos distanciamos de padrões idealizados e fantasiosos e conseguimos integrar aspectos bons e ruins sobre nós mesmos, as relações ficam mais verdadeiras e podemos encontrar pontos fracos a serem trabalhados e modificados. Uma grande distância entre o eu ideal e o eu real gera sofrimento e frustração, que podem ser reduzidos tanto atenuando a concepção ideal quanto buscando lapidar o real.

De forma semelhante, quando idealizamos demais os outros, as relações manifestam um nível alto de tensão, porque haverá um rechaço a qualquer desvio da conduta ou da imagem idealizada do outro. Além disso, em paralelo à idealização excessiva, surge um sentimento de inveja: percebo no outro qualidades que não vejo em mim, o que acaba gerando impulsos agressivos de minha parte. O resultado são as relações de amor e ódio, com grande ambivalência de sentimentos. Entender e tolerar as diferenças de temperamento, estilo, sexo, o que for, é o primeiro passo para transformar a inveja em admiração. Em resumo, estar bem consigo mesmo e desenvolver relações maduras e sustentadas resultam do trabalho de desidealização de si próprio e dos outros. Enquanto isso, segue-se buscando aprimorar os pontos fracos pessoais e estreitar as relações afetivas mais significativas.

Algo semelhante acontece quando temos planos idealizados e fantasiosos demais. Geram ansiedade e frustração porque não se realizam — como se a felicidade dependesse do êxtase que sentiríamos se eles se concretizassem. Pessoas que pensam assim pulam de um plano mirabolante para outro por não conseguirem se realizar em nenhum deles. Ficam cada vez mais frustradas e, no fim das contas, põem pouca coisa em prática. Por outro lado, ter sonhos viáveis, que podem ser modificados com base nos avanços, é muito bom e favorável, assim como ir aproveitando as pequenas conquistas. A diferença está na dose. Nos estudos de pessoas consideradas felizes, fica claro que o bem-estar depende da sensação predominante de que as coisas estão apenas indo bem e não de enormes satisfações ou recompensas.

Pode até ocorrer o contrário, caso a pessoa tenha vivido momentos divinos e espetaculares que se tornam parâmetro de comparação com outros menos maravilhosos, embora também legais. Todos já ouvimos falar em pessoas que vivem mais felizes depois de passar por períodos críticos, como quase perder a vida ou sofrer grandes privações. Tenho dois pacientes que tinham desregulações significativas de temperamento e humor que passaram por situações realmente críticas, e depois disso passaram a viver muito bem e até sem medicação. Ao restabelecer a vida normal, passam a valorizar aspectos positivos antes despercebidos, principalmente no que diz respeito às relações afetivas. Se pensarmos bem, é assim que os hipertímicos veem e se relacionam com o mundo, mas não é por idealizar a realidade, e sim por valorizá-la fortemente. Não é à toa que a sensação de bem-estar ou de felicidade depende, em cerca de 50%, da constituição genética, segundo estudos em gêmeos idênticos criados separadamente. E são os temperamentos extrovertidos, e por isso mais relacionados ao espectro bipolar, os mais presentes nas pessoas que se consideram satisfeitas e contentes.

Outro referencial útil para o desenvolvimento pessoal é a avaliação de como tratamos dois aspectos fundamentais: o desejo e a necessidade. O educador e psicanalista Rubem Alves compara esses dois campos a caixas: a de brinquedos e a de ferramentas. Poderíamos chamar de caixas da emoção, da razão, ou do prazer e do conhecimento. O desenvolvimento de habilidades, conhecimentos e ferramentas nos permite progredir e aumentar nossa eficácia, mas é o prazer que dá sentido ao progresso e à vida. Não é raro encontrar pessoas que só investem em uma das duas áreas da vida, um desequilíbrio que pode ter um preço alto. Aqui vai um simples questionamento: eu cuido da minha caixa de brinquedos? Invisto nas coisas que me dão prazer e, portanto, dão sentido à vida? E minha caixa de ferramentas, que me torna mais capaz?

Associado a esse princípio, é útil e desejável questionar se estamos dando conta do nosso "lixo mental": retenho mágoas, cultivo ódios, tramo vinganças que me fazem sentir mal, ou procuro me descontaminar disso? O equilíbrio também é desejável no eixo mente-corpo, uma vez que o estado de um influencia dramaticamente o outro. Para algumas pessoas, o trabalho corporal, não verbal, é muito eficaz como modificador do comportamento e da autoestima, além de purificar a alma. A prática pode incluir exercícios aeróbicos, esportes coletivos, ioga, dança, entre outros.

Do ponto de vista das relações pessoais, é comum confundir intimidade com desrespeito. Algumas pessoas têm medo de se entregar ou apostar em relações afetivas mais íntimas por temerem perder o respeito, o que algumas vezes ocorre de fato. Se o outro é, de maneira razoável, saudável psicologicamente, isso não acontece, ao contrário: o respeito aumenta em paralelo com a intimidade. Diante de atitudes desrespeitosas, o primeiro passo é assinalar ao outro a sensação de desrespeito, comunicar, em vez de revidar. Se não der certo, pode-se começar a pensar em um afastamento, para evitar prejuízos nessa relação — mas não generalizar só porque um ou outro relacionamento não funcionou por essa razão.

Chegamos à pergunta final: estou me tornando uma pessoa melhor com o passar do tempo? Apesar de geralmente não ser possível mudar comportamentos e conceitos sobre nós mesmos e sobre os outros de modo rápido, vale a pena ter consciência deles, até mesmo para definir metas de melhoria a longo prazo.

9

Tratamento FARMACOLÓGICO

O TRATAMENTO DA BIPOLARIDADE BASEIA-SE NO PRINCÍPIO DE TENTAR reduzir os fatores desestabilizadores de humor e acrescentar estratégias estabilizadoras. Como era de se esperar, os pacientes com transtorno de humor bipolar do tipo I necessitam de tratamento farmacológico mais vigoroso do que os bipolares leves. Ainda assim, uma pequena parcela dos pacientes não apresenta bom controle dos sintomas, mesmo quando tratada corretamente. As razões mais comuns para o insucesso são a falta de adesão ao tratamento por parte do paciente e um procedimento técnico do profissional de saúde que ainda não acertou a terapia ideal. No entanto, deve-se ressaltar que, às vezes, é difícil achar um esquema de tratamento plenamente satisfatório. É mais ou menos como comprar roupa: a pessoa tem uma ideia do que quer e escolhe uma peça para experimentar. Se fica bem e ela pode pagar, leva. Às vezes, é preciso fazer alguns ajustes ou combinar com outras peças para ficar ainda melhor. Mas se não ficar bom, experimenta outra até encontrar uma que caia bem.

Infelizmente, um problema muito comum é, mesmo com o tratamento adequado, o paciente deixar de tomar a medicação sem consultar o médico por negar o problema, por vontade de querer ficar com o humor elevado novamente ou por falta de orientação sobre a importância de manter os remédios. Se isso acontecer uma vez, passa. Duas, só com uma desculpa muito boa. Acima de três, ninguém merece. Pelo amor de Deus, não se interrompe um tratamento por conta própria!

Vale ressaltar que há muito mais estudos de tratamento farmacológico para bipolares do tipo I do que para os tipos leves. Por isso, alguns comentários deste capítulo se baseiam mais em experiência clínica do que em evidências científicas para os bipolares leves.

Os desestabilizadores de humor mais comuns são, em geral, drogas com ação estimulante no cérebro, como cocaína, anfetamina e outras drogas de abuso, antidepressivos em geral (sim, os antidepressivos), alguns remédios para emagrecer (derivados de anfetamina e sibutramina), anti-inflamatórios corticoides (como cortisona), L-dopa para tratamento de Parkinson, álcool e até cafeína em excesso. Com alguma frequência, o paciente tenta atenuar os sintomas pelo uso frequente de álcool ou calmantes da classe dos benzodiazepínicos, mas estão longe de ser boas escolhas para tratar o humor a médio e longo prazos.

Vários estabilizadores de humor são também anticonvulsivantes, o que acaba gerando certo grau de preocupação, por parte do paciente, que acredita tomar remédios realmente fortes. Isso é bobagem: antes de qualquer coisa, a maioria dos pacientes com epilepsia leva uma vida perfeitamente normal, apesar de tomar anticonvulsivantes e de ter tido convulsões (de vários tipos e diferentes graus de gravidade) em alguma etapa da vida. A convulsão é um momento em que os neurônios, as principais células do cérebro, ficam ativados demais, disparando freneticamente, até que a descarga cessa, porque o cérebro libera substâncias que funcionam quase como anestésicos.

Os neurônios fazem seu papel no cérebro por meio de mensagens elétricas e químicas que promovem a comunicação em uma rede extremamente complexa. O que os anticonvulsivantes fazem, em princípio, é agir como estabilizadores de "voltagem" desse sistema, assim como o estabilizador de voltagem impede que haja grandes variações de tensão quando a rede elétrica da nossa casa apresenta-se instável. Isso não impede que o sistema funcione normalmente. Ao contrário, protege-o de uma descarga de alta tensão que possa queimar os aparelhos ligados na tomada. A convulsão é como uma descarga alta, abrupta e de curta duração (segundos), mas o cérebro não "queima". Nos bipolares, acredita-se que a variação dessa tensão seja pequena, de início lento e gradual e duração bem maior (de dias a meses), mas, se não tratada adequadamente, pode gerar um desgaste cerebral que se traduz mais tarde como problemas de concentração e memória e um humor pesado e nebuloso. Assim, o objetivo do tratamento existente hoje é promover a estabilidade da atividade neuronal e, portanto, mental. Há remédios, no entanto, que funcionam para a epilepsia e não para os transtornos de humor e vice-versa.

Estabilizadores de humor como lítio, carbamazepina, oxcarbazepina, ácido valproico, lamotrigina e olanzapina agem não apenas na fase aguda da doença. Seu uso prolongado também previne que ocorram novos episódios de humor alterado. Apesar de não haver estudos de longo prazo, é muito provável que a quetiapina e a risperidona e outros medicamentos novos também sejam úteis no tratamento de

> Um bom tratamento farmacológico acerta o humor, mantendo a energia e o brilho.

manutenção, ou pelo menos essa é a impressão clínica. Várias classes de remédios, como outros antipsicóticos, antidepressivos e benzodiazepínicos, também podem ser usadas no tratamento, principalmente de casos de bipolares tipo I. Na fase aguda de mania plena, por exemplo, devem ser usadas combinações de até quatro ou cinco remédios, se não houver resposta satisfatória com apenas um ou dois, mas nunca se deve usar antidepressivo nesse caso. Já na fase depressiva, muitas vezes é necessário usar antidepressivos, mas sempre com o uso concomitante de um estabilizador de humor para diminuir o risco de o paciente passar direto para a fase maníaca, em vez de ficar bem.

Em casos muito refratários ao tratamento, deve-se considerar o uso da eletroconvulsoterapia. Conhecida como eletrochoque, é uma técnica muito eficaz, mas requer um centro especializado, pois atualmente é feita com a presença de anestesista e profissionais de enfermagem. As técnicas atuais minimizaram muito os riscos do procedimento e avançaram em eficácia. Por isso, é recomendável evitar uma visão preconceituosa baseada em técnicas de 60 anos atrás.

Todos os remédios a seguir têm boa eficácia no tratamento dos transtornos de humor, com particularidades e limitações que devem ser consideradas pelo médico junto com o paciente na definição do tratamento. O paciente pode se adaptar muito bem a um remédio em particular, com grande eficácia e sem sintomas colaterais, e não tão bem a outros — as reações variam de pessoa para pessoa. Para descobrir um medicamento a que se adapte bem, o paciente não tem outro caminho a não ser experimentar, sempre sob boa orientação médica. Quando há dificuldades em achar o tratamento ideal, alguns pacientes reclamam de se sentirem cobaias (ainda mais se apresentarem traços de paranoia), mas a busca da fórmula mais eficaz e adequada pode levar algum tempo.

Algo que, às vezes, atrapalha é a leitura das bulas. Bulas devem descrever vários dados técnicos do remédio — mas o problema está nos efeitos colaterais. Quem produz o remédio deve, por obrigação, descrever todos os efeitos colaterais já observados durante o uso do remédio. Pouco fala-se sobre a incidência das ocorrências. No máximo são classificadas em "comuns" ou "raras". Mas quão comuns? Por quanto tempo? Alguma coisa pode ser feita para evitá-las ou minimizá-las? Essas perguntas são importantes para entender que os efeitos colaterais costumam parecer muito piores do que realmente são.

Não se trata de achar que remédios não ocasionam problemas, porque de fato podem ocasionar, mas estes têm que ser avaliados com ponderação e em relação aos benefícios trazidos. Estudos clínicos que testam a eficácia de medicamentos incluem grupos de pacientes que tomam, sem saber, placebo (comprimidos com farinha) em vez da medicação. É comum haver vários efeitos colaterais mesmo com o placebo! Podem ser problemas que ocorreriam normalmente ou uma predisposição psicológica de as pessoas ficarem mais vigilantes a qualquer coisa que esteja acontecendo com seu corpo. E tudo é atribuído aos comprimidos, mesmo que não contenham remédio algum.

Pode haver uma expectativa exagerada quanto à eficácia do tratamento: acreditar que nunca mais haverá oscilações de humor. Ora, o humor de todo mundo oscila pelo menos um pouco e deve reagir de acordo com o que acontece na nossa vida. Como exemplo, observe, nas Figuras 9.1 e 9.2, o grau de oscilação de humor de um paciente bipolar do tipo II durante um ano (52 semanas, cada quadrado representa uma semana) sem e com tratamento farmacológico eficaz, respectivamente.

Figura 9.1 Sem tratamento farmacológico

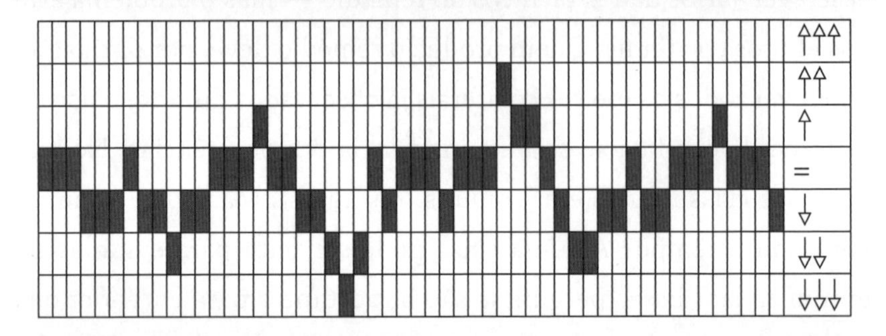

Figura 9.2 Com tratamento farmacológico

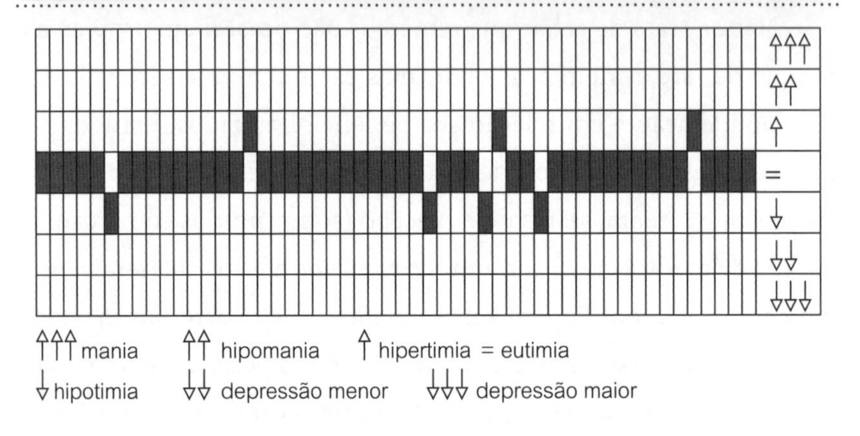

Será que o tratamento realizado não foi totalmente eficaz? Como disse um sábio amigo, "desconfio é de quem não tem nenhuma alteração no humor... ". Segundo Akiskal, o objetivo não é só estabilizar o humor, mas buscar a funcionalidade, o bem-estar de acordo com as características e o estilo do paciente.

Estabilizadores de humor

Um estabilizador de humor ideal seria um fármaco capaz de corrigir as alterações de humor tanto do polo maníaco quanto do polo depressivo. Na prática, os estabilizadores de humor disponíveis ajudam mais em um polo do que no outro, mas o importante é salientar que não prejudicam o polo oposto.

O lítio, o ácido valproico, a carbamazepina e os antipsicóticos são estabilizadores mais eficazes na mania e hipomania do que nos estados depressivos. Já a lamotrigina é mais eficaz nas depressões leves e moderadas, com alguma ação antimaníaca. Por outro lado, os antidepressivos não podem ser considerados estabilizadores de humor, porque melhoram a depressão, mas pioram (ou até provocam) elevações do humor no sentido da mania. O lítio é o remédio mais antigo para o tratamento do transtorno bipolar. Funciona melhor em quem apresenta quadro de mania com humor eufórico e não tão bem nas situações de humor misto, turbulento. Pessoas com padrão de oscilação de humor que começa no polo positivo e segue no negativo respondem melhor ao lítio do que aquelas que têm episódio depressivo seguido de virada para a fase maníaca ou hipomaníaca.

Entre as principais características do lítio estão:

- resposta satisfatória ao tratamento em cerca de 70% dos pacientes;
- sintomas colaterais relativamente frequentes, mas toleráveis, entre eles acne, tremor, náuseas, vômitos, diarreia, ganho de peso e problemas na tireoide;
- acerto das doses da medicação com base na dosagem do sangue;
- é tóxico se ingerido em doses muito elevadas;
- geralmente requer entre dois e cinco comprimidos por dia (300 ou 450mg), em uma dose única à noite ou divididos em duas ou três vezes ao dia;
- é barato.

O lítio é um composto natural que existe no corpo, mas em níveis muito baixos, indetectáveis pelo exame de sangue que se faz para dosá-lo. Isso não quer dizer, de modo algum, que o transtorno de humor bipolar seja causado por uma carência de lítio no organismo. O exame só é feito para ajustar a dose do lítio como remédio, embora algumas pessoas interpretem um resultado do tipo "indetectável" ou "menor do que 0,2mEq/L" uma alteração no organismo (por vezes até com a participação de um profissional de saúde que usa essa informação indevidamente para convencer o paciente a tomar o remédio). A dose ideal é a maior dose bem tolerada, que se reflete no nível sanguíneo entre 0,6 e 1,4mEq/L, sendo geralmente ideal em torno de 0,8 a 1mEq/L como nível de manutenção e de 1,2 a 1,4mEq/L em episódios de mania.

A carbamazepina (Tegretol®) é um anticonvulsivante bem conhecido, de bom resultado, mas que também carrega um risco, embora pequeno, de efeitos colaterais mais sérios, como problemas no sangue, no fígado e na pele, que podem ser monitorados por meio de exames. Outros efeitos colaterais leves, mas mais comuns são: alergia na pele, náuseas, vômitos, prisão de ventre, diarreia, anorexia, sedação, descoordenação motora leve e tremor. Outro inconveniente da carbamazepina é a interferência no metabolismo de outros medicamentos, inclusive anticoncepcionais orais (pílula), o que pode requerer ajuste das doses ou troca da medicação. A carbamazepina pode ser dosada no sangue, auxiliando a monitoração da dose a ser ingerida. Sua posologia envolve a administração de dois a seis comprimidos por dia (de 200 ou 400mg), dividida em pelo menos duas ingestões espaçadas. Um remédio parecido com a carbamazepina é a oxcarbazepina (Trileptal®, comprimidos de 300 ou 600mg), que tem menos efeitos colaterais e interfere pouco em outros remédios. Além da boa eficácia, tem como vantagem não causar aumento de peso e possui preço acessível. A oxcarbazepina também é eficaz em pacientes com episódios mistos e ciclagem rápida.

O ácido valproico (Depakene® e Epilenil®) e seu semelhante divalproato de sódio (Depakote®) também apresentam eficácia em pacientes com episódios mistos e ciclos de humor mais frequentes. As reações adversas são desconforto gástrico, náusea, diarreia, sedação, tremor, ganho de peso, queda de cabelo (em cerca de 5% dos pacientes) e alterações no fígado. Overdoses de ácido valproico podem levar ao coma e à morte. O tratamento, em geral, requer a administração de dois a seis comprimidos (250 e 500mg) por dia, geralmente divididos em pelo menos duas ingestões (a não ser o Depakote ER, que pode ser tomado uma só vez por dia), e o custo é baixo.

A lamotrigina (Lamictal®, Neural® ou Lamitor®) é um estabilizador de humor com algumas características vantajosas. Em primeiro lugar, é muito bem tolerado, ou seja, praticamente não causa efeitos colaterais. Há alguns anos, quando já se iniciava o tratamento com doses altas, podia causar uma reação na pele chamada de *rash*, com secura e vermelhidão, que pode ser grave e requerer a suspensão do tratamento. No entanto, com doses menores no início e aumento gradual, o problema torna-se mais raro, mas convém ficar atento. A lamotrigina não funciona nos quadros de mania plena dos bipolares do tipo I, mas é a mais eficaz nas fases depressivas, principalmente dos bipolares leves. Pode funcionar bem em alguns quadros mistos e também é eficaz em prevenir novos episódios depressivos. É ingerida uma vez ao dia, não induz ganho de peso ou até pode-se perder de um a dois quilos. Os comprimidos são de 25, 50 ou 100mg e a dose inicial é de 25mg por dia por duas semanas, aumentando para 50mg por dia por mais duas semanas, e daí por diante o aumento pode ser de 50mg a cada duas semanas. Alguns pacientes já ficam bem com essa dose, mas é comum necessitarem de aumento para 100 ou 200mg por dia, sendo raramente exigida uma dose maior, que pode chegar a até 400mg por dia. Dependendo da dose, pode se tornar um tratamento caro. Usado com ácido valproico, deve-se reduzir à metade as doses descritas. É considerado o tratamento de primeira escolha para os bipolares leves, principalmente nas fases mais depressivas, que são as predominantes em muitos casos.

> Os custos da doença são certamente mais elevados do que os custos do tratamento.

A quetiapina (Seroquel®) é bem tolerada e induz pouco ou nenhum ganho de peso até 300mg/dia. É bastante eficaz para tratar a mania, a depressão bipolar e os estados mistos, e, portanto, é um estabilizador de humor completo. A dose no primeiro dia é de 25 a 50mg, subindo-se a dose em alguns dias para ficar entre 100 e 500mg por dia. Em bipolares leves, 100 a 200mg já fazem um bom efeito, particularmente nas fases depressivas. Os comprimidos são de 25, 100 e 200mg, tomados à noite por ser capaz de induzir o sono, excessivo para alguns e terapêutico para outros. Há também as formulações XRO de 50, 200 e 300mg, que induzem menos sono e basta um comprimido à noite. Com essas formulações XRO a dose pode ser aumentada mais rapidamente também. O custo é de moderado a alto, dependendo da dose.

A olanzapina (Zyprexa®) é bastante eficaz em diversas situações, particularmente na mania e na prevenção de novos episódios de mania no longo prazo. Alguns efeitos colaterais podem atrapalhar o tratamento, como sonolência e ganho de peso considerável em alguns pacientes. Em bipolares do tipo I, a dose costuma ser entre 10 e 20mg por dia. Já doses mais baixas, como 2,5 a 7,5mg por dia, podem ser úteis também no tratamento de bipolares leves. Os comprimidos são de 2,5, 5 e 10mg e podem ser tomados uma só vez ao dia, geralmente à noite. O custo é elevado nas doses maiores, mas pode ser compensador pela alta eficácia. A combinação de olanzapina (5 a 10mg por dia) com a fluoxetina (20 a 40mg por dia) é bem eficaz no tratamento da depressão bipolar, com pouca chance de induzir alteração de humor para o lado da mania. A formulação Zydis do Zyprexa induz menos ganho de peso.

O topiramato (Topamax®) também pode ajudar no tratamento de alguns casos de bipolaridade, mas principalmente no controle de impulsos, como por comida ou compras. Deve ser introduzido lentamente (25mg por dia por duas semanas, subindo 25mg a cada duas semanas) até a dose entre 50 e 300mg por dia. Apesar dessa desvantagem, é uma medicação que não induz ganho de peso — boa parte dos pacientes até perde peso. Alguns reclamam de problemas de memória, principalmente se a dose foi aumentada mais rapidamente do que o indicado. Os comprimidos são de 25, 50 e 100mg e nas doses mais altas pode ser um tratamento caro.

Outros remédios são frequentemente usados no tratamento do transtorno de humor bipolar. Ainda na classe dos antipsicóticos chamados de segunda geração (semelhantes à olanzapina e à quetiapina), estão: risperidona (Risperdal®, Zargus® e Respidon®), eficaz e não muito cara, mas um pouco mais sujeita a causar rigidez muscular e tremor, e os mais recentes, ziprazidona (Geodon®) e aripiprazole (Abilify®), todos com pouco efeito sedativo e ganho de peso, e também bastante eficazes segundo estudos. Há ainda os antipsicóticos típicos ou de primeira geração, mais antigos e baratos: haloperidol (Haldol®), clorpromazina (Amplictil®), levomepromazina (Neozine®) e flufenazina (Anatensol®), que têm maior chance de causar rigidez muscular e tremor e, por isso, devem ser administrados em doses mais baixas, se não foi possível usar algum dos medicamentos descritos anteriormente. Uma faixa intermediária de custo e de tolerabilidade inclui a sulpirida (Equilid® e Dogmatil®) e a tioridazina (Melleril®).

O hormônio da tireoide (Puran T4®, Synthroid® ou Euthyrox®) também pode ser útil no tratamento do humor, mesmo em quem não tem diagnóstico de hipotireodismo. Sabe-se que até 20% dos pacientes, particulamente ciclotímicos e hipertímicos, podem ter uma sensibilidade mais baixa ao hormônio e seus exames de sangue são normais. As doses usadas vão de 100 a 300 microgramas por dia, e sintomas como ser friorento, ter unhas fracas e queda de cabelo são indicadores de resposta a esse remédio, mesmo com exames de tireoide normais.

Outra medicação que tem eficácia em sintomas de humor, mas principalmente no controle de impulsos do desejo (drogas, jogo, compras, sexo etc.) é a N-acetilcisteína. Apesar de usada há muitos anos como expectorante, só recentemente os estudos mostraram que ela corrige a desregulação da região cerebral associada ao prazer. Quem possui essa região desregulada tem que se expor a estímulos mais intensos (e arriscados) para sentir alguma coisa. Com a sintonia acertada, passam a perceber mais interesse em coisas do cotidiano e menos fissura e abstinência pelo que desperta desejos intensos e irrefreáveis. De quebra, é um bom antioxidante que protege o tecido cerebral. É relativamente barata e muito bem tolerada, mas tem que ser tomada de 1.500 a 2.500mg por dia, geralmente 1.000mg de manhã e de noite.

O acerto da medicação ideal (dosagens e tipos de remédios que potencializem os efeitos terapêuticos, minimizem os efeitos colaterais e evitem gastos desnecessários ou esquemas muito complexos) é adquirido por meio de conhecimento e um tanto de arte por parte do médico, mas depende bastante da informação precisa fornecida pelos pacientes.

Alguns pacientes, em particular aqueles com passado mais hipertímico ou eufórico, podem se queixar de sentir menos intensidade afetiva em algumas situações, como se a vida ficasse menos colorida. De fato, quem via as cores de maneira muito exuberante, como esses pacientes, pode ter dificuldades em se adaptar. No fundo, todo bipolar quer ficar com o humor para cima ou hipertímico o tempo todo, o que pode trazer o risco de uma alteração de humor maior e de difícil controle, embora o manejo fino e preciso da medicação ajude a chegar a um meio-termo. Entre os estabilizadores, o que parece não provocar a sensação de perda do brilho do humor positivo é a lamotrigina. Justamente por ser menos eficaz em tratar a mania plena, parece "achatar" menos o humor. Na classe dos antipsicóticos, a quetiapina é o fármaco mais leve, ou seja, apara os excessos sem alterar a sensação de humor normal da pessoa.

Os benzodiazepínicos, os famosos calmantes e soníferos, desempenham um papel útil, mas limitado no tratamento da bipolaridade. Entre eles encontram-se diazepam (Valium® e Diempax®), clonazepam (Rivotril®), bromazepam (Lexotan®), lorazepam (Lorax®), clorodiazepóxido (Psicossedin®), midazolam (Dormonid®) e vários outros também chamados "tarja preta", que têm venda controlada. Em situações agudas, podem ajudar bastante na ansiedade e no sono, mas a regra é que seu uso não se estenda indefinidamente. No longo prazo, costumam perder eficácia, principalmente quanto ao sono. Além disso, há um potencial considerável de abuso. Alguns pacientes passam a ficar mais agressivos e irritados com o uso crônico desses medicamentos, que também podem causar descoordenação, desatenção e falhas na memória. Se o uso tiver sido prolongado, a retirada deve ser gradual, no período de poucas semanas.

Antidepressivos — cuidado!

Os antidepressivos merecem um capítulo à parte. Apesar de já existirem há algumas décadas, seu uso se popularizou nos anos 1990, com o surgimento da fluoxetina, o famoso Prozac®, que chegou a ser cultuado como a pílula da felicidade. Seu maior diferencial em relação aos antidepressivos mais antigos (chamados de tricíclicos) era a melhor tolerabilidade e segurança, apesar de não ter eficácia superior. Na década de 1990, realizou-se uma forte campanha de conscientização sobre a depressão, que ainda era pouco comentada e carregava um estigma pesado. Uma leva de novos antidepressivos com boa tolerabilidade inundou o mercado — hoje são mais de 20. Isso reforçou e popularizou ainda mais sua indicação, tanto por parte de psiquiatras como de outros médicos.

Certamente a depressão é um grande problema de saúde, merece ampla divulgação e os novos antidepressivos apresentam menos efeitos colaterais, mas talvez tenha-se ido um pouco longe demais. Ainda há muitas pessoas com depressão (unipolar) que não se tratam, mas deveriam procurar auxílio, e para elas as campanhas ainda valem. No entanto, tem havido uma enxurrada de prescrições dessas drogas para o tratamento de situações tão diversas quanto transtornos de ansiedade (transtorno do pânico, transtorno obsessivo-compulsivo, ansiedade generalizada, fobia social e transtorno de estresse pós-traumático), déficit de atenção e hiperatividade, tensão pré-menstrual, enxaqueca, dor crônica, tabagismo, ejaculação precoce, bulimia, comer compulsivo, impulsividade, agressividade, tiques, entre outros. Esses transtornos ocorrem com frequência em pessoas com bipolaridade e, por isso, deve haver cautela ao se prescrever antidepressivos, principalmente se forem a única medicação usada.

> O mau uso dos antidepressivos e psicoestimulantes pode ser trágico!

É preciso dizer que a maior parte dos estudos "científicos" que demonstraram a "eficácia" dos antidepressivos nessas condições foi patrocinada pela indústria farmacêutica, com efeitos muitas vezes um tanto superiores em relação ao placebo (pílulas sem remédio). Além disso, a duração dos estudos é, em geral, inferior a oito semanas, ou seja, se o paciente melhora no início, o que comumente ocorre mesmo nos bipolares, e piora na continuidade do tratamento nos meses seguintes, isso não é registrado. Outro problema desses estudos é a quantificação dos sintomas, feita somente com base nas informações do próprio paciente. Assim, quem ficou hipertímico ou "passou do ponto" dirá que está muito bem, embora as pessoas de seu convívio possam perceber que algo está errado.

O uso de antidepressivos e psicoestimulantes na ausência de estabilizadores de humor está sujeito a desfechos nem sempre agradáveis ou desejados em pessoas do espectro bipolar. O efeito mais danoso é a chamada "virada": a pessoa sai do polo depressivo e, em vez de ficar com o humor normal, passa para o outro lado, apresentando sintomas maníacos de diversas intensidades. Após o início do tratamento com antidepressivos, alguns pacientes que não estão tomando estabilizadores de humor junto desenvolvem um quadro de hipomania ou até de mania plena, com consequências muitas vezes desastrosas. A responsabilidade por essa virada é de quem prescreveu o antidepressivo e não percebeu tratar-se de depressão ou ansiedade de uma pessoa com bipolaridade.

Outras vezes, desconfia-se de que o paciente pertença ao perfil bipolar e mesmo assim o antidepressivo é prescrito pela facilidade de uso. Nessas situações, com frequência o bipolar leve sente que está respondendo muitíssimo bem ao tratamento, mas as pessoas mais chegadas percebem algo estranho. O que acontece é uma leve virada, ou seja, em vez de desenvolver uma mania completa, a pessoa fica mais hipertímica e, por breves momentos, hipomaníaca, um pouco mais exibida ou desinibida, mais arrogante, expansiva, com excesso de energia, o riso mais frouxo ou o pavio curto. Em consequência, as pessoas ao redor começam a se cansar e se afastam. Se o paciente percebe isso, reage: acha que estão com inveja ou não merecem sua companhia. Infelizmente, na consulta de acompanhamento com o psiquiatra, o relato é de que está tudo bem, aliás uma maravilha, e o médico repete a receita do antidepressivo por achar que "curou" aquela depressão. Sem questionar as pessoas que convivem com o paciente, pode ficar realmente difícil diferenciar uma situação dessas de uma resposta adequada a um antidepressivo no tratamento de uma depressão unipolar. Além disso, os pacientes podem se comportar bem durante a consulta, sem exageros, mascarando seu estado real hiperexcitado.

Lembro de uma amiga cujo temperamento básico era hipertímico. Ela passou por um quadro de depressão com excesso de sono e falta de energia (mais sugestivos de bipolaridade) e, depois de um mês de tratamento com antidepressivo, já estava radiante. Quando a encontrava, ela falava bastante, era o centro de quase todos os assuntos, fazia autoelogios o tempo todo, contava que fulano tinha dito que ela estava maravilhosa, sicrano a tinha achado "uma gata", estava com um projeto interessantíssimo, tinha comprado isso e aquilo. Na época, eu ainda não reconhecia esse tipo de reação mais sutil aos antidepressivos. Realmente, uma pessoa nesse estado pode parecer mais jovial e cintilante, mas o convívio mais íntimo vai se desgastando pelo comportamento excessivamente autocentrado e autoelogioso. Depois de um ano, o tratamento com antidepressivo foi suspenso e ela voltou ao seu normal, sem perceber. Mais tarde, quando entendi o que havia ocorrido, ela me contou que certo dia a psiquiatra pediu que ela desse a si própria uma nota de zero a dez — a resposta foi 15! Apesar desta confissão de humor elevado demais, a situação passou despercebida e ela saiu da consulta com uma nova receita de antidepressivo.

Admito que também cometi esse tipo de erro algumas vezes na prática clínica. Depois de aprender a identificar o perfil bipolar pude, em alguns casos, assumir o eventual equívoco e testar a nova hipótese, na maioria das vezes com sucesso, mesmo com a possibilidade de pôr em risco a relação de confiança com o paciente. Espero que outros ex-pacientes — em quem hoje reconheço esse perfil e com os quais perdi contato — tenham encontrado uma orientação e uma solução melhor do que os antidepressivos que indiquei. Atualmente, tento ao máximo reservar esses medicamentos aos pacientes depressivos puros unipolares. Em bipolares, receito-os de forma transitória, se possível, e sempre concomitante ao uso de estabilizadores de humor. Mudanças no estilo de vida, psicoterapia ou o uso da lamotrigina ou de baixas doses dos antipsicóticos atípicos podem ser alternativas eficazes que limitam o uso de antidepressivos somente para os casos em que realmente são necessários. E sempre em conjunto com estabilizadores de humor.

Respostas comuns ao uso de antidepressivos em bipolares:

- ficar bem demais;
- ficar bem muito rapidamente (em uma ou duas semanas);
- piorar os sintomas depressivos e de ansiedade;
- melhorar alguns sintomas e piorar outros, como ficar mais ativo e mais irritável;
- melhorar nos primeiros meses e depois ficar com o humor pior ou mais oscilante;
- sentir-se diferente, descaracterizado nas reações normais a situações, como ficar passivo demais.

É importante lembrar também que os antidepressivos mais novos não são isentos de efeitos colaterais. A fluoxetina (Prozac® e outros), a sertralina (Zoloft® e Tolrest®), a paroxetina (Aropax® e Pondera®), o citalopram (Cipramil®), o escitalopram (Lexapro®) e a venlafaxina (Efexor®) são frequentemente causadores de diminuição de libido e da dificuldade para atingir o orgasmo, mesmo nas pessoas que os toleram bem.

Os estados de hipomania e mania plena, sejam espontâneos ou induzidos pelo tratamento com antidepressivos ou psicoestimulantes, podem gerar enormes prejuízos, porque gastos excessivos e confusões que levam a conflitos pessoais e perda de oportunidades, ou até de emprego, são próprios do humor exaltado. Certa vez, uma paciente reclamou do preço alto do remédio. Achei que valia lembrá-la que alguns meses antes de começar o tratamento, por conta do transtorno de humor e da impulsividade, comprara um conjunto de colar e brincos (nunca usados!) cujo preço equivalia a cinco anos de medicação. Muitas pessoas bipolares leves somente apresentam problemas com gastos excessivos em decorrência do uso de antidepressivos, o que pode de fato encarecer consideravelmente o "tratamento". A mudança no padrão de gastos é um critério objetivo para avaliar a resposta do humor ao tratamento.

Vários outros efeitos podem ocorrer com o uso de antidepressivos por bipolares. Uma reação frequente é a melhora significativa nas primeiras semanas ou meses de tratamento, com posterior diminuição do efeito ou regresso dos sintomas. Alguns pacientes não melhoram absolutamente e outros ainda pioram, com agravamento da ansiedade (inclusive com ataques de pânico), da agitação e do humor. Com fármacos que tenderiam a dar insônia e perda de apetite, passam a ter sono e aumento de apetite e de peso.

A médio e longo prazos, o tratamento com antidepressivos em bipolares pode aumentar a frequência dos ciclos e acelerar a progressão da doença, chegando a quadros mistos muito graves, com humor altamente turbulento e instável. Essa situação é comum quando bipolares não respondem a um, dois, três ou oito antidepressivos e, infelizmente, em vez de partir para o tratamento mais veemente com estabilizadores de humor, insiste-se no antidepressivo. Não é fácil admitir, mas tal situação é uma iatrogenia, ou seja, um problema gerado pelo próprio tratamento médico. A conduta farmacológica adequada pode reverter o quadro, mas as sequelas psicológicas

> Sentir-se bem demais pode ser encarado como um sinal de alteração de humor.

podem ser consideráveis. O uso associado de estabilizadores de humor pode minimizar o problema, mas vejo muitos pacientes que melhoram bastante só pela retirada gradual do antidepressivo, mesmo quando já usam estabilizadores de humor.

Conheci pacientes que tiveram anos de suas vidas assolados por esse problema. A mais recente foi uma senhora de 68 anos que desde os 50 apresentava humor bastante ruim. Quando ficava com o humor bom pelo uso de antidepressivo não conseguia dormir: estava “acelerada” e, portanto, tinha que tomar um sonífero potente. Em poucos dias de tratamento correto com estabilizadores de humor, voltou a ficar bem como duas décadas atrás e com o sono regular, mesmo com doses bem mais baixas da medicação hipnótica. Ela foi vítima da insistência em trocar de antidepressivo: existem muitos, nenhum funciona bem e vai-se trocando sem perceber que o problema está, na verdade, no diagnóstico incorreto e que o tratamento voltado para a condição bipolar tem mais chances de sucesso. Outro paciente usou por dois anos o antidepressivo Efexor® associado ao psicoestimulante Ritalina®, tratamento para um suposto déficit de atenção associado a sintomas depressivos — apesar de ser um bipolar leve. Hoje relata que “sobrevoou” aqueles anos, dos quais resultaram a separação da mulher e o afastamento da filha, uma dívida considerável que manchou seu nome, além de casos amorosos fugazes, nos quais engravidou duas mulheres. Consequências que foram se avolumando sem um episódio de mania plena, mas sim de hipomanias repetidas em um humor predominantemente hipertímico. Por essas e outras cabe alertar que boa parte das pessoas tratadas com antidepressivos deveria usar estabilizadores de humor, porque fazem parte do espectro bipolar e não do grupo que tem depressão unipolar ou déficit de atenção.

Recentemente, em uma discussão de caso, uma aluna comentou ter estranhado que uma senhora de 59 anos internada em um hospital geral com queixa de depressão tinha as unhas pintadas de vermelho e decoradas com pequenas flores coloridas. Foi o primeiro sinal de uma história de bipolaridade confirmada mais tarde por outros dados. É interessante, porque constantemente uso a metáfora de que para diferenciar uma ovelha de um lobo disfarçado de ovelha é preciso olhar as unhas!

A pressão da indústria farmacêutica para a prescrição de antidepressivos é grande, com publicidade e eventos de divulgação de produtos "cada vez mais bem tolerados e maravilhosos!". Que bom para quem realmente tem depressão unipolar.

Além de serem as vítimas desse processo, os bipolares enfrentam, atualmente, o estigma de sua doença, que é muito maior do que o da depressão. Os antidepressivos também se tornaram mais fáceis de usar e mais bem tolerados do que a maioria dos estabilizadores de humor, o que certamente é um fator a favor da opção pela sua prescrição: não é preciso muita explicação, nem vencer o estigma da doença bipolar e do uso de lítio, de estabilizadores de humor (ainda vistos com receio por serem também anticonvulsivantes) ou de outros remédios "fortes". Isso não quer dizer que bipolares não possam usar antidepressivos, mas recomenda-se cautela e precauções — uso em quadros depressivos moderados e graves e, se possível, por um período curto.

Alguns pacientes, no entanto, se beneficiam com o uso de antidepressivos associados aos estabilizadores de humor por prazos longos. Nesses casos, a bupropiona (Wellbutrim® e Zyban®) pode ser um pouco mais segura. Tem menos efeitos colaterais (não afeta a libido ou o orgasmo) e apresenta chances um pouco menores de induzir a virada para os sintomas maníacos. Deve-se evitar a classe dos antidepressivos tricíclicos, como imipramina, amitriptilina e clomipramina. O pramipexole (Mirapex®), usado no tratamento da doença de Parkinson, se mostrou bastante útil na depressão bipolar, particularmente em pacientes com bipolaridade do tipo II. Sua ação é, em parte, semelhante a alguns antidepressivos e causa pouca hipomania. Seu perfil de efeitos colaterais é bom e a dose total fica entre 0,75 e 2mg por dia, que deve ser tomada duas ou três vezes ao dia.

Há ainda o problema da retirada dos antidepressivos, que deve ser feita de modo gradual, a não ser em franco episódio maníaco ou hipomaníaco, em que se suprime o antidepressivo mais rapidamente. Como o cérebro acostumou-se à presença do antidepressivo, a retirada rápida pode causar, no espaço de um a três dias, tonturas, mal-estar, ansiedade, dores de cabeça, enjoos e vertigens. Muitos interpretam isso, erroneamente, como a volta de sintomas depressivos ou como dependência do remédio. A venlafaxina e a paroxetina, assim como a sertralina e os tricíclicos são os que mais produzem esse problema. A solução é simples e uma regra é reduzir gradualmente a dose diária em um terço ou pela metade a cada semana, durante o período de quatro semanas, mesmo que isso signifique tomar 1/4 de comprimido por dia. Ainda assim, alguns sintomas leves e transitórios podem surgir. A fluoxetina pode ser retirada rapidamente, porque permanece no organismo mais tempo do que os outros antidepressivos — também pode ser usada em conjunto para facilitar a retirada de outro antidepressivo, sendo a própria fluoxetina a última a ser retirada.

Nunca é demais alertar que toda e qualquer conduta farmacológica deve ser orientada por um médico competente no diagnóstico psiquiátrico, na vinculação com o paciente e no uso de psicofármacos. Nos casos de dúvida no diagnóstico, é desejável que sejam tomadas precauções no sentido de não exacerbar uma eventual bipolaridade.

10

Pessoas FAMOSAS

Com temperamento forte

ALGUMAS PESSOAS FAMOSAS ILUSTRAM A DIVERSIDADE DE EXPRESSÕES que o temperamento forte pode assumir, tornando-as mais evidentes na sociedade. Muitas provavelmente manifestaram a bipolaridade, mas quero enfocar seus temperamentos especiais. Não faltaram personagens e ídolos do século XX que tiveram, além da exuberância, trajetórias meteóricas para o sucesso, fins trágicos e também precoces. Entre os artistas, Elvis Presley e Marilyn Monroe nos Estados Unidos; no Brasil, Elis Regina, Cazuza, Renato Russo, e por um triz não foi Herbert Vianna, para citar alguns. Pode-se afirmar que suas características de intensidade emocional, criatividade e sensualidade, entre outras, favoreceram sua projeção, mas vieram acompanhadas de outros comportamentos, como uso de drogas, atividade sexual não segura ou aventuras ousadas demais.

Em um documentário recente sobre Elvis, palavras como sensualidade e sexy foram tão pronunciadas quanto seu próprio nome. Começou jovem, com sorriso fácil, à vontade sob os holofotes e as câmeras, totalmente entregue tanto nas canções animadas quanto nas românticas, dançando de uma maneira tão extravagante que faria qualquer outro parecer ridículo, criando moda e quebrando tabus, com o brilho hipertímico ao máximo. Transou com inúmeras fãs. Com o passar dos anos, foi ficando pesado no humor, e no corpo, instável. Destruiu-se aos 40 e poucos anos. A trajetória de Marilyn não foi muito diferente. É claro que o fato de os dois serem muito bonitos contribuiu para o estrelato, mas o que os fez diferentes das outras centenas de rostinhos bonitos ou vozes afinadas foi a atitude naturalmente brilhante e o magnetismo que emanavam, comum em muitas pessoas do perfil bipolar.

Quem viu não esquece Elis Regina cantando "Arrastão", com os braços girando como uma hélice, pronta para decolar. Assim, de cara, na estreia para o grande público, uma guria! Assim como Elvis, tinha a versatilidade de produzir naturalmente o tom emocional certo para cada música. Suas interpretações comoviam e contagiavam. Mimetizava o próprio humor, provavelmente ciclotímico, indo do paraíso ao inferno em minutos. Suas opiniões eram fortes e decididas, não se importava com o juízo que fizessem dela, condizendo com o apelido de *Pimentinha*. Passou por inúmeros cortes de cabelo, vários estilos de se vestir e alguns homens. Excedeu-se nas drogas e morreu aos 36 anos — não fosse por seu temperamento talvez isso não tivesse ocorrido, mas provavelmente também não teria sido a grande Elis.

Renato Russo e Cazuza tinham o dom da poesia original e instigante e o brilho para interpretá-la musicalmente em sua plenitude. Ambos morreram devido ao mesmo tipo de conduta insegura. Os dois também pareciam expressar a chamada pansexualidade, ou seja, o que vier vem bem se der o clique certo. Cazuza encarnava francamente o perfil hipertímico, enquanto Renato Russo parecia tender para o padrão ciclotímico, mais nebuloso, rebelde e turbulento. Já foi demonstrada, sem grande surpresa, a alta frequência de pessoas do espectro bipolar infectadas por vírus sexualmente transmissíveis, como o HIV, que vitimou ambos.

Ayrton Senna sentia-se bem a 300 quilômetros por hora. Pilotava no limite, um limite desenhado e desafiado por anos de dedicação e sensibilidade para os detalhes. Quando perdia, a culpa era sempre do carro ou de algum inepto que não sabia pilotar, nunca sua — mas com esse potencial de ataque e conquista quem precisa de mecanismos de defesa psicológicos evoluídos? Tinha fortes atributos de persistência: redobrava a dedicação, o planejamento e a concentração para a próxima prova. Foi uma pessoa marcada pela intensidade afetiva, pelo carisma e pelas conquistas.

Herbert Vianna, certamente um dos grandes talentos musicais brasileiros das últimas décadas, acidentou-se voando de ultraleve. Podemos nos perguntar o que leva pessoas como ele a correr certos riscos. Para entender, só usando a lógica da novidade, da aventura, do diferente e da emoção, que não à toa coexistem nos gênios e nos criadores.

Vários outros talentos artísticos, alguns com histórias mais trágicas e conturbadas que outros, poderiam ser citados e analisados, como Pablo Picasso, Salvador Dalí; Mick Jaegger, Janis Joplin, Rita Lee etc., cada um com expressões particulares do universo de seus temperamentos marcantes.

Na linha dos empreendedores, um exemplo é Jack Welch, presidente por vários anos da General Electric. Considerado um dos maiores executivos de todos os tempos, revolucionou a empresa, desburocratizou-a, quebrou regras e dogmas. Comandou negócios diversos como a produção de eletrodomésticos, canais de TV e satélites. É excepcionalmente franco, impaciente, competitivo, ousado, odeia burocracia, adora festas e comemorações e tem um pensamento tão rápido que chega a atrapalhar sua fala.

Com bipolaridade

Não faltam exemplos de pessoas que, além do temperamento forte, têm (ou tiveram) bipolaridade em algum grau. Pelo estigma que o transtorno de humor bipolar ainda carrega na sociedade, pode-se compreender por que muitos evitam divulgar seus sintomas ou tratamentos.

Na literatura, Agatha Christie, Virginia Woolf, Ernest Hemingway, Edgar Allan Poe, Graham Greene, Hans Christian Andersen. Na poesia, T. S. Eliot, Walt Whitman. Na música erudita, Tchaikosvky e Mozart. No rock, Axl Rose (vocalista do Guns n' Roses), Kurt Cobain (ex-vocalista do Nirvana); no jazz, o pianista Thelonius Monk. No cinema, Robin Williams, Jim Carrey e Elizabeth Taylor. Nas artes, Paul Gauguin e Vincent van Gogh, revelados inclusive pela intensidade das cores de seus quadros. Vale dizer que a bipolaridade não é requisito para ser artista, mas vários estudos apontam que sua presença é bem mais frequente entre artistas do que na população em geral. Outros bipolares entre famosos personagens da história: o filósofo Platão e o cientista Isaac Newton. Na política, Winston Churchill, Abraham Lincoln e Ulysses Guimarães.

O temperamento forte e uma provável bipolaridade leve parecem ter contribuído para a projeção e o sucesso da cantora de ópera Maria Callas e o chef francês Bernard Loiseau. Ambos tinham a emoção aflorada, grande entusiasmo, humor exaltado e a busca da perfeição como características marcantes, além de um estilo próprio de atuar que revolucionou suas áreas. Viveram suas apoteoses até a quarta década de suas vidas e morreram cedo, ela aos 54 e ele aos 52 anos. Loiseau, em poucas semanas, foi invadido por uma grande turbulência do humor acompanhada de extrema negatividade, que era o oposto de seu perfil até então hipertímico. Suicidou-se com um tiro de espingarda. Sua maior preocupação era manter a extrema qualidade e originalidade de pratos de seu restaurante La Côte d'Or, que havia sofrido uma leve queda de cotação em um guia de restaurantes.

11

VIVEMOS EM UMA sociedade buscadora DE NOVIDADES E bipolar?

TALVEZ NÃO SEJA DESCABIDO DIZER QUE A MAIORIA DAS TRANSFORMAções das últimas décadas, principalmente na sociedade ocidental, manifesta o tom bipolar ou de busca intensa por novidades: velocidade, precocidade, abusos (de drogas inclusive), violência, ambição desmedida pela fama e pelo sucesso, narcisismo, histeria, inconsequência, pansexualidade, fanatismo religioso, inovação, pressa, impaciência, esportes radicais, lutas agressivas (como jiu-jitsu e vale-tudo), competitividade, relacionamentos efêmeros, versatilidade, mulheres cada vez mais ativas e competitivas, cirurgias plásticas e todas as formas de preservar ou recuperar a juventude. São comportamentos, atitudes ou sonhos que sempre estiveram presentes ou latentes, mas parecem se intensificar cada vez mais com a carga crescente de estímulos que as crianças recebem. Isso pode ser muito bom para provocar mudanças na sociedade, mas traz o risco da instabilidade, da inconsequência e dos excessos. Sem uma concepção de comunidade, de ética e de bem-estar geral, essa onda de estímulos associada às fracas estruturas familiares, que não conseguem impor limites de modo claro e afetivo, pode gerar enormes problemas para todos.

É impressão geral dos profissionais que lidam com transtorno de humor bipolar que sua incidência está crescendo. Por definição, isso não poderia ocorrer por mudanças genéticas, que levam milênios para acontecer. Assim, a origem deve ser ambiental. É fácil perceber que uma das grandes mudanças atuais é a carga de estímulos e novidades a que estamos expostos. Comparados às crianças de 60 anos atrás ou de uma comunidade indígena ou rural, os bebês nascidos nas classes média e alta já vêm ao mundo com dezenas de roupas coloridas, um quarto todo enfeitado, móbiles pendurados no berço, chocalhos e brinquedos em tal quantidade que mal se acostumam com um e já ganham outros tantos ainda mais barulhentos, surpreendentes e coloridos. Televisão com vários canais, música o tempo todo, videoclipes (com edição frenética de imagens), tipos diferentes de comidas, computadores, internet, videogames ensandecidos e ensandecedores. Não é à toa que os brinquedos de ação estão cada vez mais comuns e ousados. Skates, patins e bicicletas não servem para andar para lá e para cá: são usados para saltar, voar, girar, se quebrar.

Por que esperaríamos que na hora de namorar fosse diferente? Enjoou, troca! E as meninas, cada vez mais estimuladas, passam a ter um perfil mais comum ao estereótipo masculino: independente, explorador, conquistador. Como ficarão as relações? Estamos cultivando uma geração de pansexuais polígamos? Além disso, a mídia reforça o modelo de que só é bom se tiver muita adrenalina! Para quê? Certamente para vender mais. Deveríamos, então, nos surpreender com o aumento do consumo de drogas lícitas e ilícitas, apesar da redução da propaganda direta? Será que o mercado é um bom regulador do comportamento humano? Não precisamos repensar nosso modelo de sociedade e a filosofia de vida que estamos levando? Onde fica a discussão ética sobre isso tudo?

Esse excesso de excitação coincide também com a redução da maternagem em nossa sociedade: mães que trabalham deixam os filhos em creches onde são mais estimuladas e têm menos vivência do modelo de apego e cuidado materno, que sabidamente aumenta a tolerância e a segurança da criança. Quando voltam para casa, podem estar cansadas demais para serem mães tolerantes. Essa combinação promove o temperamento de busca por novidades e não desenvolve a persistência, um padrão de temperamento frequente em bipolares.

A bipolaridade pode estar aumentando por meio do excesso de estímulos desde a infância.

Acredito que o ponto central seja avaliar a influência dessa mudança de ambiente desde o nascimento, porque o cérebro até os dez anos é extremamente maleável e adaptável. O maior exemplo é o aprendizado de idiomas. Se mudar de país, uma criança de até dez anos aprende o idioma novo sem sotaque ou diferenças de conhecimento em comparação aos nativos. Por que para o resto seria diferente? E mais, o que promove o desenvolvimento cerebral é exatamente o estímulo, portanto não devemos nos surpreender com a crescente precocidade das crianças em todos os níveis. Quem nasceu na década de 1920, por exemplo, mal experimentou o rádio, o telefone e o automóvel na sua infância; hoje, aos sete anos de idade, a criança anda a 120 km/h, tem TV e computador no quarto e celular próprio.

Outra hipótese é os países da América, principalmente Brasil, Argentina e Estados Unidos, que receberam muitos colonizadores, terem maior propensão ao perfil bipolar, uma vez que se pode supor que esses pioneiros eram mais carregados no temperamento de busca de novidades, exploratório e confiante no futuro. Nesse sentido, os Estados Unidos expressam mais a competitividade, a liberdade e o espírito dominador e invasivo, enquanto o Brasil é mais boêmio e alegre. Ambos são artísticos e criativos. É evidente que fatores como cultura, política e religião influenciam em outras características, mas não cabe debatê-las aqui. Portanto, o aumento da bipolaridade pode ser o resultado da combinação do temperamento propenso à busca de novidades com o excesso de estímulos ambientais. Essa pode ser, pelo menos em parte, a explicação para que casos de bipolaridade em crianças estejam sendo diagnosticados com certa frequência nos Estados Unidos e no Brasil, sendo raros antes dos dez anos em países da Europa.

Os professores sabem o que é tentar conter essa geração de crianças que não consegue ficar quieta e prestar atenção, e acaba tendo que ser atendida por psiquiatras, psicólogos e psicopedagogos. Claro que o modelo atual de escola também não ajuda muito. Mas como será daqui a dez ou 15 anos? Não é, em parte, essa tormenta de informações intensas e voláteis que nos distancia cada vez mais da serenidade do índio e do camponês, por exemplo? Talvez seja hora de admitir a hipótese de que novidades e estímulos demais podem ser deletérios. E quem sabe possamos auxiliar as crianças no desenvolvimento da tolerância a frustrações e não estimulá-las em excesso se já tiverem um forte temperamento de busca de novidades, reduzindo a chance de possivelmente manifestarem o humor instável e/ou a insaciabilidade de sensações na vida adulta?

No filme *Amor e restos humanos*, de Denys Arcand (1993), o personagem afirma que não se tem notícia de um ser humano completo nascido depois de 1965 — e atribui isso ao surgimento do forno de micro-ondas. Se o micro-ondas simboliza tudo o que surgiu com a modernidade tecnológica, devo concordar, mas restringiria a observação a sociedades com alta poluição de estímulos, como a norte-americana. Em resumo, ambientes muito estimulantes gerariam crianças aceleradas, que se transformam em adultos acelerados e mais aceleradores da sociedade. A poluição de informações e estímulos tem crescido bastante, mas foi devastadora nesta última década, com a popularização de computadores, celulares e televisões com programas em alta rotação. Como se não bastasse, esses estímulos têm feito com que todos, principalmente os mais jovens, durmam cada vez mais tarde e, portanto, menos, que é outro fator desestabilizador da mente. É só uma hipótese, e pode não ser a única, mas acho que deve ser considerada.

Além disso, a presença da mídia e as informações externas ao nosso microcosmo são cada vez mais abundantes e invasivas, tendendo (por sua própria essência) ao extremo. Obviamente uma família almoçando tranquila no domingo não é notícia, exceto se um avião cai em cima da casa ou se ela ganha um prêmio maravilhoso. Com isso, torna-se mais importante ponderar nossa visão de mundo para não sermos jogados para cima e para baixo a toda hora, por manchetes e acontecimentos alardeados.

12

E SE EU TIVER bipolaridade?

Antes de ter ou não bipolaridade, o que se pode garantir é que temperamento e caráter todos têm. Cada tipo de temperamento está mais talhado a algumas atividades, e um mesmo temperamento pode se manifestar de modo construtivo/adaptado ou destrutivo/desadaptado. Para encontrar a melhor maneira de exercer seu papel, explorando seus talentos naturais, um bom começo é analisar o próprio temperamento, suas fraquezas e limitações, assim como suas vantagens e virtudes. Entender a que tipo de família pertencemos também ajuda, assim como buscar lapidar as características da personalidade e analisar nosso estilo de vida. O acerto nessas avaliações aumenta muito a chance de as coisas melhorarem.

Se o transtorno de humor estiver presente, reconhecê-lo é o primeiro passo, mas o mais importante é a atitude a ser tomada a partir daí. Várias pessoas com bipolaridade leve acabam sendo levadas a grandes prejuízos por não buscarem controlar o problema, enquanto alguns bipolares do tipo I tomam consciência da situação e assumem o comando, se engajam no tratamento corretamente e, portanto, minimizam as repercussões negativas. Eis uma armadilha da hipomania, que pode ser confundida com atos propositais e pensados da pessoa, enquanto na mania plena o fato de as condutas serem tão claramente alteradas facilita a identificação de que há um transtorno mental. Muitos pacientes têm de experimentar a dor e a improdutividade das fases depressivas ou as consequências das perdas da hipomania para só então levar a sério o tratamento.

Como a bipolaridade tem a característica de alterar o ritmo da vida e a afinação do humor, todas as medidas tomadas no sentido de dominar o humor são muitíssimo bem-vindas. Trata-se de saúde e, quanto mais saudáveis, mais estabilizados estaremos contra todos os tipos de problemas. São condutas que dependem somente de autodeterminação para serem colocadas em prática, não custam nada e não têm efeitos colaterais.

O sono de sete a nove horas por dia, de preferência com horários regulares, é um grande maestro do humor. Uma noite em claro ou poucas horas maldormidas são suficientes para esculhambar o humor. É importante se dar conta de que é preciso se preparar para dormir bem, o que significa não comer muito, não fazer exercícios aeróbicos e evitar assistir ou participar de programas muito excitantes depois de anoitecer. O ato de acordar também pode ser planejado para que a luz do dia entre no quarto gradativamente. Acordar com o estímulo da luz é muito mais natural e saudável, por liberar uma série de hormônios que nos preparam para iniciar as atividades, e pode ser feito em conjunto com o despertador.

De modo geral, é bom que a alimentação siga o padrão de café da manhã reforçado, almoço moderado e refeições leves à tarde e à noite. Quanto mais se puder evitar frituras e comida artificial (biscoitos, refrigerantes, salgadinhos etc.), melhor. Alguns estudos mostram que a bipolaridade é mais frequente em países com baixo consumo de peixe em comparação com aqueles em que o consumo é superior. Outro estudo aponta que a suplementação com óleo de peixe ajuda no controle do humor. Isso faz sentido porque a membrana dos neurônios tem como constituintes importantes alguns elementos encontrados nesse óleo, e a comunicação adequada entre os neurônios depende muito da membrana. Como não tem efeitos colaterais, a sugestão de incorporar o peixe e/ou o suplemento alimentar (três a cinco cápsulas de 1000mg de óleo de peixe por dia) pode promover a saúde geral e, particularmente, a mental.

Um dos grandes estabilizadores de humor é o exercício físico aeróbico. Diversos estudos têm mostrado seu benefício para o cérebro — inclusive no aumento da produção de novos neurônios! Por ser um ativador, faz sentido que seja realizado de preferência de manhã ou, se não for possível, em algum horário antes do anoitecer. Aqui a regra é pensar nos benefícios a longo prazo, um grande desafio para quem tem pressa. A ideia não é correr até se acabar! Deve-se começar com caminhadas leves que, naturalmente, com o passar das semanas, ficam um pouco mais aceleradas, até se tornarem mais vigorosas. O primeiro desafio não deve ser físico, mas mental: definir três ou quatro horários semanais de cerca de 30 ou 40 minutos e cumpri-los. Se o objetivo é fazer disso um hábito para deixar o humor e a saúde em geral em ótimo estado, não vale a pena forçar, sentir dores, se contundir, pois são fatores desestimuladores do processo. Só depois que as caminhadas estiverem inseridas na agenda semanal há um bom tempo (cada pessoa define o seu), corridas leves devem ser incorporadas, aumentando gradativamente o ritmo. Muitos preferem fazer exercícios aeróbicos na água, e o mesmo padrão deve ser seguido. Por fim, seja qual for a atividade escolhida, deve ser encerrada com alongamentos. A chave é fazer disso um hábito agradável, de autocuidado, algo que uma pessoa não pode fazer pela outra.

Se uma academia de musculação ou ginástica, que tende a ter um ritmo de atividades muito intenso, for considerada a opção mais indicada, talvez seja melhor evitar os períodos de pique ou de "muita adrenalina". A ideia é inserir o exercício físico como um promotor de ritmo, de saúde e de bem-estar e não como uma loucura de culto ao corpo. Quem tiver mais idade ou alguma doença física deve consultar um médico para avaliação e orientação.

Se o excesso de estímulos variados realmente contribui para os altos e baixos do humor, faz sentido reduzir o nível de estímulos a que nos sujeitamos, principalmente os de baixa qualidade. Nós somos o que comemos, vemos, ouvimos, cheiramos, sentimos na pele, e tudo isso influencia nossos pensamentos. Jogar videogame tomando refrigerante e comendo biscoitos, ouvindo música alta e agitada é intoxicar o cérebro com estímulos de baixa qualidade. A televisão tem algumas maravilhas, mas muitas porcarias tentando nos atrair ou impressionar. É claro que seria melhor estar conversando com amigos, lendo algo interessante, fazendo meditação ou praticando um esporte, cuidando do jardim ou desenvolvendo alguma atividade artística.

Cada um desses elementos — sono, alimentação, atividade física e higiene com estímulos e atividades — favorece o bom andamento dos outros. Com esses aspectos em harmonia, as exceções (como festas, encontros, jantares) têm impacto pequeno no humor e podem ser aproveitadas com mais qualidade. As diretrizes de tratamento da bipolaridade e as evidências científicas apontam claramente os benefícios desse ritmo de vida afinado. Como não se ganha dinheiro com isso, não espere que sejam muito divulgados. Já outras atividades bem lucrativas e, portanto, amplamente difundidas, são um veneno para a saúde e para o humor, como é o caso das drogas de abuso. Todas prejudicam direta ou indiretamente a saúde e o humor, particularmente os estimulantes. Como exceção, o consumo ponderado e ocasional de bebida alcoólica por pessoas que estão estáveis há bastante tempo pode ser considerado junto com o médico psiquiatra, dependendo do remédio prescrito. O cigarro não é especificamente ruim para o humor, mas é tão prejudicial que deve ser evitado sempre. Além de detonar a saúde física, deixa a pessoa com cheiro desagradável de fumaça e gera rugas precocemente, o que é um grande problema para os mais vaidosos.

A psicoterapia produtiva promove a consciência da situação, busca novas soluções, dá apoio, permite renovar sentimentos e favorece a autoestima e o relacionamento com os outros. O remédio deve ser encarado como um aliado e é um elemento importante no controle do humor, mas o bom tratamento não se resume a ele. Assim, quanto maior a promoção da própria saúde por essa série de condutas, menor será a necessidade de remédios. Tomar um remédio em uma dose média é mais fácil e simples do que tomar dois ou três em doses altas. Para os bipolares do tipo I, em especial, tomar dois ou três remédios (se necessário) também será muito melhor estando em forma e se cuidando. No longo prazo, o que acontece é que a energia explosiva, característica de muitas pessoas com temperamento forte e bipolaridade, passa a ser mais distribuída e aproveitada.

Por fim, os profissionais de saúde podem e devem contribuir, mas a redução do estigma em torno da bipolaridade de todas as intensidades é tarefa de cada bipolar, que antes de tudo deve se aceitar. Depois, poderá identificar essas situações e ajudar os outros, o que não quer dizer sair por aí achando que todo mundo é bipolar... Falar sobre o temperamento forte e a bipolaridade é um bom começo, que pode ser acompanhado pelo gesto de emprestar este livro, indicar sites sobre o assunto (como o <www.bipolaridade.com.br>) ou frequentar um grupo de bipolares. Mas tudo isso fica bem melhor quando se faz com alegria, entusiasmo, afeto e responsabilidade!

Para saber mais

Sites

<www.bipolaridade.com.br>

Filmes

Mr. Jones. Direção: Mike Figgis. Intérpretes: Richard Gere; Anne Bancroft; Delroy Lindo e outros. 1993. DVD (114 min.). Enfoca os sintomas e o tratamento da bipolaridade.

O povo contra Larry Flynt. Direção: Milos Forman. Intérpretes: Courtney Love; Edward Norton; Woody Harrelson e outros. 1996. DVD (130 min.). Mostra a trajetória de um empreendedor polêmico que sabidamente tem bipolaridade, mas não aborda o tema do ponto de vista médico.

Callas forever. Direção: Franco Zeffirelli. Intérpretes: Fanny Ardant; Jeremy Irons e outros. 2002. DVD (108 min.). Narra os últimos anos da cantora de ópera Maria Callas.

Cazuza — o tempo não para. Direção: Sandra Werneck. Intérpretes: Daniel de Oliveira; Marieta Severo e outros. 2004. DVD (96 min.). Mostra os excessos de humor, os riscos desnecessários, a criatividade abundante e a extrema busca de novidades e sensações do artista.

Livros

JAMISON, Kay. *Uma mente inquieta*: memórias de loucura e instabilidade de humor. São Paulo: Martins Fontes, 1996. Conta a história de uma psicóloga e sua relação com a própria bipolaridade. Atualmente ela é uma expert na área.

____________. *Touched with fire*: manic depressive illness and the artistic temperament. New York: Simon & Schuster, 1994. Estuda a relação entre bipolaridade e arte.

Artigos científicos

Sobre temperamento

CLONINGER, C.R., SVRAKIC D.M., PRZYBECK, T.R. "A psychobiological model of temperament and character". *Arch Gen Psychiatry*. 1993; 50(12): 975-90.

LARA, D.R., PINTO, O., AKISKAL, K., AKISKAL, H.S. "Toward an integrative model of the spectrum of mood, behavioral and personality disorders based on fear and anger traits: I. Clinical implications". *J Affect Disord*. 2006; 94 (1-3): 67-87.

Sobre bipolaridade

AKISKAL, H.S., PINTO, O. "The evolving bipolar spectrum. Prototypes I, II, III, and IV". *Psychiatr Clin North Am*. 1999; 22(3): 517-34.

ANGST, J., GAMMA, A., BENAZZI, F., AJDACIC, V., EICH, D., ROSSLER, W. "Diagnostic issues in bipolar disorder". *Eur Neuropsychopharmacol*. 2003; 13 Suppl 2: S43-50.

Para realizar uma avaliação detalhada do seu perfil emocional e fazer um processo de terapia guiada eficaz, você pode baixar o app Cíngulo

www.cingulo.com